1) bring reader
2) grammaire
   a. reading

D1237652

311-13 review
    313 $\overline{V}$ A W
        B d c W 314
    309 recite

$\overline{VI}$ due Tues.
remainder of $\overline{VI}$ due wed.

FRENCH MASTERS

FRENCH MASTERS

A Cultural Reader for Beginners

by

JOSEPH PALMERI

The University of Wisconsin

SKETCHES BY DONALD WHITE
The University of Wisconsin

HARPER & BROTHERS   NEW YORK

FRENCH MASTERS : A CULTURAL READER FOR BEGINNERS

Copyright © 1958 by Joseph Palmeri

Library of Congress catalog card number : 58-6134

CONTENTS

On s'accoutume à bien parler en lisant souvent ceux qui ont bien écrit. —Voltaire

Preface

French Masters: A Cultural Reader for Beginners presents
far more authentic reading selections—French written for
Frenchmen—than any other reader of the same level.
Except for a half dozen pages written by the undersigned
and about one page by the eminent linguistic historian
Walter von Wartburg, all of the reading selections have been
taken directly from French writers. Many of the authors
represented are great writers ; some are among the greatest
France has produced.

The selected authors range from the 17th to the middle
of the 20th century. The selections include fiction, history,
travel, poetry, biography, political science, criticism,
maxims, and correspondence. Each selection is followed
by three or more quotations related to or suggested by
the subject treated. There are more than one hundred
quotations.

Some of the main considerations which motivated the
selection of the material were: (1) The reading selections
should have intrinsic value and should be of interest to the
modern student. (2) They should be sufficiently varied to
appeal to many tastes and backgrounds. (3) They should be
simple without being childish, mature without being lin-
guistically or philosophically difficult.

"*Quelle que soit la chose qu'on veut dire,*" Flaubert advises
Maupassant, "*il n'y a qu'un mot pour l'exprimer, qu'un verbe
pour l'animer, qu'un adjectif pour la qualifier.*" If this be
true, it follows that whenever one simplifies a text written

ix

by a good author, the very best one can do is to replace the
right expression with the almost right expression. We believe
with Mark Twain that the difference between the right word
and the almost right word is the same as the difference
between a lightning bolt and a lightning bug. We have
therefore reproduced all texts *in the original.*

Except for the elimination of a slang expression which
students would not need to remember, and four or five sentences which presented difficulties of thought as well as of
language, all selections are unabridged.

The material is much easier than one might suspect. To
be sure, there are some selections in the later part of the text
which are usually found in second-year readers. We have
experimentally discovered, though, that the student who
has read all the passages and done all the exercises can read
these so-called second-year selections with surprising ease.
It may also be worth remembering that: (1) Students
usually know more French in the last part of the first year
than at the beginning of the second year. (2) Most students
are successfully spurred to do their best if they do not feel
they are being treated like children and if the material is not
dull.

The reader is graded from the point of view of tenses,
vocabulary and general difficulty. The grading is not scientific but is based on twenty-five years of experience in
teaching and/or supervising the teaching of elementary
French.

The tenses are introduced gradually. In the first three
reading selections, only the present is used. In the next four
sections, where the present is used almost exclusively, there
are a few scattered forms of the *passé composé.* A special
introductory note on this tense facilitates its recognition
and meanings. The present and the imperfect are the basic
tenses of the next two selections (pp. 33–41). Those of the
next three (pp. 42–56) are the *passé composé,* the imperfect,
the simple past, and the pluperfect. So far only very few
widely scattered forms of the future and the conditional

have occurred. These have been treated in footnotes. In the next four selections (pp. 57–77), the future and the conditional become moderately significant (nine forms of the future, ten of the conditional). The distribution of the subjunctive follows approximately the same pattern as that of the future and the conditional, except that the subjunctive forms remain numerically insignificant until the later selections in the text.

Vocabulary: Notwithstanding the retention of those words which "made-French" texts would shun and simplified readers change, the vocabulary of *French Masters* is quite manageable. The understanding of the material, moreover, has been facilitated not only by footnotes, but also by a comprehensive end-vocabulary in which all reflexives are entered, many verb forms given, and unfamiliar terms explained or defined.

The first few reading passages contain numerous cognates. This permits the student who is aware of the existence of cognates to understand much of the text in French, without translating. Some of the selections from the masters have a great many cognates too, others not so many. All selections, however, can be read with ease provided the student learns the few connectives and other words of high frequency—the kind of words he usually looks up over and over again—which are listed for him at the end of each reading section. This procedure has been tested several times in the classroom and always with the same positive result: the student who learns such words as *ainsi, chaque, souvent, ne . . . que, comme, presque, ce qui,* and the like, reads much faster and understands a great deal of what he reads without translating.

This book encourages the student to reason out the meanings of words and phrases by various devices (see pp. xv–xvi). Likewise, it encourages reading without translating, the translation exercise at the end of each selection notwithstanding. But let us be frank: there are words the meanings of which cannot be figured out, certainly not with accuracy or certainty, even in context. If evidence for this were desired, we should point out the numerous footnotes on sheer translation of words of one meaning in "made-French" readers. It is only words such as those given in the preceding paragraph that the student of this text is asked to learn out of context.

Suggestions for the teacher: Begin reading in the fourth or fifth week of the first semester; if your class is slow, begin later. Go over the Introduction. Ask the students to read carefully pages xv–xvi which are addressed to them. Before starting, your students should know the endings of the present indicative of *-er* verbs, the articles, *ne . . . pas*, and the few simple things found in the first three or four grammar lessons. If you have not already taken up the point, tell your students that most adjectives follow the noun in French.

I am greatly indebted to my assistant, Mr. Marcel Tetel, for many important suggestions and for his invaluable editorial assistance. I am also indebted to Miss Constance K. Petersen for numerous contributions to the making of the vocabulary.

JOSEPH PALMERI

November, 1957
The University of Wisconsin

Introduction

A large number of French words are spelled like or very nearly like English words of the same meaning. These are called cognates. Although you may not realize it, you already know about two thousand of the first five thousand most common French words. Notice particularly the following:

1. French words ending in *-ion, -al, -ance, -ence, -able, -ible, -ude* are generally spelled the same in French and English:

   attention, action, intention, permission; animal, rival, cordial, minéral; importance, ignorance, vigilance, arrogance; prudence, excellence, intelligence, différence; probable, curable, évitable, admirable; possible, accessible, compatible, intelligible; attitude, gratitude, latitude, fortitude

2. Most French nouns ending in *-ie, -té,* and *-eur* have English equivalents in *-y, -ty,* and *-or,* respectively:

   théorie, énergie, anatomie, philosophie; liberté, nécessité, charité, vanité; acteur, moteur, aviateur, créateur

3. French words in *-iste, eux, -aire, -ique* have English equivalents in *-ist, -ous, -ary, -ic (al),* respectively:

   artiste, dentiste, pianiste, pessimiste; fameux, furieux, dangereux, délicieux; ordinaire, secondaire, contraire, temporaire; musique, république, comique, héroïque

4. Scientific and technical words are very similar in both languages:

   acide, aileron, alcali, algèbre, ampère, analogue, analyse, angle, antidote, aorte, artère, arthérite, atome, axiome, baromètre

5. There are hundreds of words which cannot be classified, but which can be easily recognized, particularly in context:

> liquide, riche, soupe, style, article, bandit, art, exemple, climat, page, intelligent, classe, objet, privilège, tulipe, dessert, époque, café, difficile, intéressant, cathédrale, problème, egoïsme, plus, absent, disciple, demande, innocent, garage, fruit, océan, profond, important, enveloppe, débutante, boulevard, air, agriculture, sombre, taxi, moment, restaurant, calme, personne, hôtel, suffrage, nièce, cinéma, pipe, drame, avantage, désavantage, maritime, armement, désarmement, million, textile, ordre, désordre, sabotage, scène, nord, musicien, fiancée, forme, liste, exploit, long, date, cause, justice, système, blâme, confort, rendez-vous, automne, réservoir, appétit, journal, menu, cycle, compartiment, idée, radio, talent, science, naturellement (*naturally*), absolument, directement, ordinairement, complètement, immédiatement, admirer (*to admire*), adorer, abandonner, aider, affirmer, analyser, assembler, assurer, arriver, arrêter

In conclusion, observe carefully that the differences in the spelling of related French and English words occur, usually, in the endings: liber*té*—liber*ty*; mot*eur*—mot*or*; directe*ment*—direct*ly*.

To the Student

(To be read after the Introduction)

You have already learned that you know, before starting to read, at least two thousand French words, most of which are either spelled the same as in English or are easily recognized. *French Masters* makes full use of these cognates, particularly in the early reading passages. As a result, much of your reading is very easy, so easy that it is often possible for you to grasp the meaning of the French text in the original, without translating. But for every two words you can recognize, there are three you cannot. The meanings of the words you cannot recognize, however, very often can be figured out by association, by logical reasoning, and, indeed, by application of your own knowledge. You are strongly urged, therefore, not to look up unfamiliar words without first examining the context, for frequently the meaning of an unfamiliar word or phrase becomes evident as soon as the rest of the sentence is examined.

Examine the following sentences:

1. Le sang est un liquide.
2. Le sang est un liquide qui circule (*which circulates*) dans les veines et les artères.

Assuming that you do not know the meaning of the word *sang*, "blood," in the first of these sentences, there is no way of guessing its meaning correctly because there are many liquids besides blood. In the second case, though, the meaning of *sang* is clear from the rest of the sentence.

In determining the meaning of *sang* in the second sentence, you used not only the context but also the well-known fact that blood circulates in the veins and arteries. Similarly, by making use of the context and a fact that you learned in the lower grades or in high school, you should be able to figure out the meaning of the last word in the following sentence:

Le système nerveux règle (*regulates*) les fonctions des organes du corps.

If guessing the correct meaning of a word or a phrase can be done without difficulty in isolated sentences, it follows that it can be done with more facility in connected discourse where what you have been reading is of additional help. But, you might argue, isn't it simpler to look up the word? Indeed it is; but if you look it up, you are missing an opportunity to train your mind; you are not learning in the true sense of the word. To look up a word or a phrase and then memorize it is to descend to the level of children, who, by the way, do better than most adults when it comes to memorizing.

Guessing the probable meaning of a word or a phrase by examining the context and by association with facts already known is a very interesting game, and, if played fairly, a worth-while one, for it exercises and hence develops the mental faculties and teaches self-reliance. "Our surest protectors," says a French observer, "are our talents." *Nos plus sûrs protecteurs sont nos talents.* —Vauvenargues[1]

[1] See page 48, n. 17.

Acknowledgments

Permission to use copyright materials is hereby gratefully acknowledged:

To Calmann-Lévy, Éditeurs, for permission to use Anatole France's "Le Jour de Catherine" and "Les Fautes des grands," taken from *Nos Enfants*, and his "La Forêt de myrtes," taken from *Le Livre de mon ami*.

To Éditions Bernard Grasset for permission to use a page from André Maurois' *Mes Songes que voici*.

To A. Francke Ltd. Co. for permission to use two extracts from Walter von Wartburg's *Évolution et structure de la langue française*.

To Librairie Ernest Flammarion for permission to use an extract from André Maurois' *En Amérique*.

To Librairie Gallimard for permission to use Paul Valéry's "Une Époque bien intéressante," taken from *Discours de l'histoire*; André Gide's "Un Jeune Bachelier medite sur son avenir" from his *Les Faux-Monnayeurs*; and Jacques Prévert's "Déjeuner du Matin," from his *Paroles*.

To Librairie Hachette for permission to use an extract from Vidal de la Blache's "Tableau de la géographie de la France," in Ernest Lavisse, *Histoire de France*, Vol. I; Émile Faguet's "En lisant La Rochefoucauld," from his *L'Art de lire*; and an extract from André Siegfried's *L'Âme des peuples*.

To Librairie Plon for permission to use Jules Romains' "L'Écart tragique de trois courbes" from his *Le Problème numéro un.*

To Mercure de France for permission to use Georges Duhamel's "Pour bien élever les enfants" from his *Les Plaisirs et les jeux.*

To Émile Saillens for permission to use an extract from his *Toute la France.*

To Société des Gens de Lettres de France for permission to use "Tout ce que tu voudras" from Courteline's *Le Miroir concave.*

FRENCH MASTERS

L'Univers

L'univers est immense. Les étoiles et les planètes visibles à l'homme par [1] une belle soirée d'été ne sont qu'une petite partie de la nature. En effet [2] l'univers est si [3] vaste qu'il est impossible d'imaginer ses limites.

La terre n'est qu'un point imperceptible dans l'ample sein 5 de la nature. Elle fait partie du système solaire. Les grandes planètes du système solaire sont, à partir du soleil : Mercure, Vénus, la Terre, Mars, Jupiter, Saturne, Uranus et Neptune. Ces planètes-là sont visibles à l'œil nu. Il y en a beaucoup d'autres qui sont plus petites et qui ne sont pas 10 visibles à l'œil nu. Outre toutes ces planètes, le système solaire compte aussi un grand nombre de satellites et beaucoup de comètes. Les satellites sont des planètes secondaires qui tournent autour d'une planète principale. Ainsi la lune est un satellite qui tourne autour de la terre. 15 Il y a des planètes qui ont plusieurs satellites. Ainsi Mars en a deux, Jupiter douze, Saturne neuf, Uranus quatre. Certaines planètes sont entourées d'une atmosphère. Les saisons et les conditions atmosphèriques de Mars ressemblent beaucoup à celles de la terre. Les planètes obéissent 20 à la loi de la gravitation universelle.

Le soleil est une étoile. Il y a des myriades d'étoiles dans

---

[1] **par une belle soirée d'été** *on a beautiful summer evening.* In the rest of the sentence note the ne . . . qu'. Ne . . . que (*only*) is a very common expression.

[2] **En effet** *In fact* or *Indeed.*

[3] **si vaste qu'il est impossible d'imaginer.** Note that si before an adjective usually means *so*; **de (d')** before an infinitive is not to be translated.

1

l'univers. Elles sont séparées les unes des autres par des distances énormes. Chaque étoile, disent les astronomes, est un centre possible d'un système planétaire comme le système solaire.

5 La contemplation des merveilles de la nature révèle la grandeur et la puissance du Créateur.

PENSÉES DIVERSES

1. Qu'est-ce qu'un homme dans l'infini? —Pascal[4]
2. L'astronomie, par la dignité de son objet et la perfection de ses théories, est le plus[5] beau monument de l'esprit humain. —Laplace[6]
3. Les nuages peuvent cacher une étoile, mais les nuages passent et l'étoile demeure. —Félix Faure[7]

EXERCICES

I. Répondez en français aux questions suivantes:
   [NOTE: Unless otherwise indicated, the questions are always based on the main reading passages, not on the Pensées Diverses]
   1. L'univers est-il petit?
   2. Est-il possible d'imaginer ses limites?
   3. La terre est-elle une étoile?
   4. Quelles sont les grandes planètes du système solaire?
   5. Sont-elles visibles à l'œil nu?
   6. Y a-t-il des planètes qui ne sont pas visibles à l'œil nu?
   7. Qu'est-ce qu'un satellite?
   8. Est-ce que la lune est un satellite?
   9. Combien de satellites a Mars?
   10. Combien en a Jupiter?

[4] **Pascal**, Blaise (1623–1662), mathematician, physicist, inventor, and, to quote an eminent French critic, "one of the greatest French philosophers and perhaps France's greatest writer." (Faguet).

[5] **le plus beau monument de l'esprit humain** *the most beautiful monument of the human mind.*

[6] **Laplace**, Pierre-Simon, marquis de (1749–1827), mathematician and astronomer.

[7] **Faure**, Félix (1841–1899), politician, author, President of the French Republic (1895–1899).

11. De quoi certaines planètes sont-elles entourées?
12. Est-ce que Mars a une atmosphère?
13. A quoi obéissent les planètes?
14. Combien d'étoiles y a-t-il dans l'univers?
15. Définissez, en français, *une distance énorme*.
16. Que révèle la contemplation des merveilles de la nature?

II. Apprenez par cœur: [8]

ne ... que	autour de	si (most commonly
en effet	chaque	*if, so*)
ainsi	à partir de	comme (most com-
plusieurs	par (usually *by,*	monly *like, as*)
	through)	

III. Traduisez sans regarder le texte ni le vocabulaire:
1. Par une belle soirée d'été on [9] peut voir beaucoup d'étoiles.
2. L'univers est si vaste qu'il est impossible d'imaginer ses limites.
3. La terre fait partie du système solaire.
4. Le système solaire n'est qu'une petite partie de l'univers.
5. Il y a des planètes qui ne sont pas visibles à l'œil nu.
6. Les étoiles sont séparées les unes des autres par des distances énormes.

[8] These expressions are basic for reading French in *any* field. You will find them again in this text. Learn them now and save time.
[9] **on peut voir** *one can see.*

La Terre

La terre a la forme d'une sphère légèrement aplatie aux deux pôles et un peu renflée à l'équateur. Pour démontrer la forme sphérique de notre planète, on cite les voyages de circumnavigation du globe, la disparition[1] graduelle d'un
5 navire à l'horizon, l'ombre toujours ronde de la terre sur la lune, et l'élévation progressive de l'étoile polaire à mesure[2] qu'on approche du pôle nord.

Comme toutes les autres planètes, la terre tourne autour du soleil, centre de la gravitation planétaire du système
10 solaire. Cette révolution détermine la durée de l'année, qui est la même chez tous les peuples civilisés. La terre tourne aussi sur elle-même une fois par[3] jour. Le mouvement de la terre autour du soleil s'appelle[4] mouvement de translation. Celui qu'elle fait sur elle-même s'appelle mouvement de
15 rotation.

La terre est entourée d'une atmosphère dans la composition de laquelle dominent deux gaz, l'azote (le nitrogène) et l'oxygène.

A la surface du globe, les mers couvrent une superficie de
20 presque trois quarts de celle des terres. L'océan Pacifique occupe presque la moitié de l'hydrosphère, c'est-à-dire, de l'ensemble total des mers. Les autres océans sont l'océan Atlantique, l'océan Indien, l'océan Glacial du Nord (ou Arctique) et l'océan Glacial du Sud (ou Antarctique).

---

[1] disparition *disappearance.*
[2] à mesure qu' *as.*
[3] une fois par jour *once a day.*
[4] s'appelle *is called.*

4

LES DEUX HÉMISPHÈRES

Les vastes étendues de terre à la surface du globe s'appellent continents. Les continents sont l'Eurasie (l'Europe et
l'Asie), l'Afrique, l'Amérique du Nord, l'Amérique du Sud,
l'Australie et l'Antarctique.

5   La terre est très vieille. En examinant [5] la désintégration
des éléments radio-actifs contenus dans les roches et par
d'autres moyens, on attribue à notre globe un âge approxi-
matif de plus de [6] trois milliards d'années.

☺ PENSÉES DIVERSES

1. Tout est dans un flux continuel sur la terre. —Rousseau [7]
2.   O terre! ô merveilles
                 Dont l'éclat joyeux
            Emplit nos oreilles,
                 Éblouit nos yeux. —Hugo [8]
3. L'art et la poésie sont des choses divines. —Claudel [9]

ᗯ EXERCICES

I. Répondez en français :
   1. La terre a-t-elle la forme d'une sphère parfaite?
   2. L'élévation de l'étoile polaire est-elle plus grande ou plus
      petite au pôle?
   3. Quel est le centre de la gravitation du système solaire?
   4. Qu'est-ce qui détermine la durée de l'année?
   5. Comment s'appelle le mouvement de la terre autour du
      soleil?
   6. Comment s'appelle le mouvement de la terre sur elle-
      même?
   7. De quoi la terre est-elle entourée?

[5] **En examinant**   *by examining.*
[6] **plus de** (with a number)   *more than.*
[7] **Rousseau**, Jean-Jacques (1712–1778), one of the great writers of the
18th century. His influence on modern life is still felt in education, politics,
and literature.
[8] **Hugo**, Victor (1802–1885), the greatest French poet of the 19th century;
novelist and dramatist.
[9] **Claudel**, Paul (1868–1955), diplomat and one of the eminent contemporary writers—poet, dramatist and critic.

8. Quels sont les deux gaz qui dominent dans la composition de l'atmosphère?
9. Quelle proportion du globe les mers couvrent-elles?
10. Comment s'appelle l'ensemble total des mers?
11. Nommez les océans.
12. Qu'est-ce qu'un continent?
13. Nommez les continents du monde.
14. Quel âge a la terre?

II. Apprenez par cœur:

à mesure que

presque

toujours

dont (*whose, of whom, of which*)

plus de (with a number)

chez (*among*)

sans

III. Traduisez sans regarder le texte ni le vocabulaire:
1. La terre tourne autour du soleil.
2. A mesure qu'on approche du pôle, l'élévation de l'étoile polaire est plus grande (*greater*).
3. La durée de l'année est la même chez tous les peuples civilisés.
4. La terre tourne sur elle-même une fois par jour.
5. L'ensemble total des mers s'appelle l'hydrosphère.
6. En examinant les éléments radio-actifs contenus dans les roches, on peut (*can*) calculer l'âge de la terre.

Tableau de la géographie de la France

La France est située dans l'ouest de l'Europe. Elle occupe environ la dix-huitième partie du continent. Elle a la forme d'un hexagone, dont trois côtés sont maritimes et trois côtés continentaux. Facilement accessible par cinq des six 5 côtés—depuis l'avènement de l'avion par l'autre—elle occupe un des carrefours les plus fréquentés du monde.[1] Regardez la carte (p. 9). Observez que la France est le pays des quatre mers. Au sud, la Méditerranée met la France en contact immédiat avec beaucoup de pays euro- 10 péens aussi bien qu'avec l'Afrique, l'Asie, l'Orient et l'Extrême-Orient; à l'ouest, les ports de l'Atlantique sont parmi [2] les plus proches de l'Amérique; au nord, la Manche et la mer du Nord mettent le pays en communication directe avec les Iles Britanniques et le monde scandinave.

15 Observez la carte encore [3] une fois. De l'est à l'ouest, les deux grandes routes européennes aboutissent dans le bassin de la Seine: l'une, de Paris à Moscou, par les plaines de la Belgique et de l'Allemagne du Nord; l'autre, de Paris à Constantinople (Istanbul), par la vallée du Danube. De plus,

[1] **un des carrefours les plus fréquentés du monde** *one of the most frequented crossroads in the world.*
[2] **parmi les plus proches de l'Amérique** *among the nearest to America.*
[3] **encore une fois** *once more.*

8

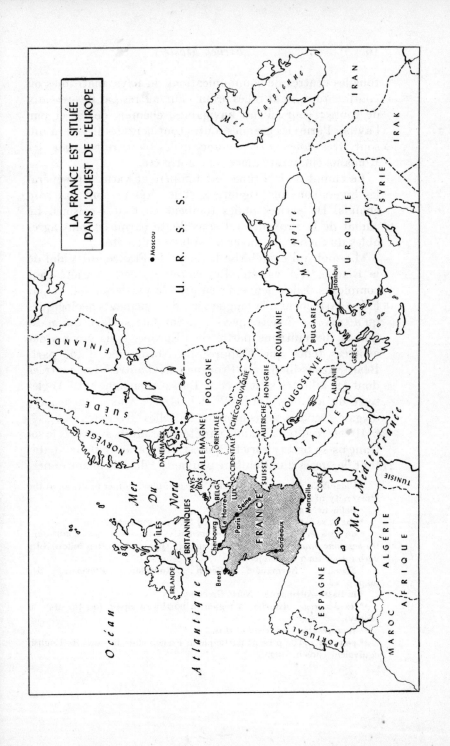

LA FRANCE EST SITUÉE
DANS L'OUEST DE L'EUROPE

tous les centres de communications du pays, maritimes ou
continentaux, sont reliés les uns aux autres par des réseaux
de routes, cours d'eau navigables, chemins de fer et par
l'avion. Parmi les grandes routes continentales il y en a qui
5 sont très anciennes comme celles construites par les
Romains cinquante ans avant notre ère.
Le climat de la France est tempéré et varié. En général
les hivers sont peu rigoureux et les étés ne sont pas trop
chauds. De petites pluies tombent en toutes saisons. Le
10 climat de la Provence est sans doute parmi les plus agréables du monde, en hiver aussi bien qu'en été.
«Le mot qui caractérise le mieux la France, dit Vidal de
la Blache,[4] est variété. Les causes de cette variété sont
complexes. Elles tiennent[5] en grande partie au sol, et par
15 là[6] se rattachent à la longue série d'événements géologiques
qu'a traversée[7] notre pays . . . Sur une surface qui n'est
que la dix-huitième partie de l'Europe, nous voyons des
contrées telles que Flandre[8] ou Normandie d'une part,
Béarn, Roussillon, ou Provence de l'autre, des contrées
20 dont les affinités sont avec la Basse-Allemagne[9] et l'Angleterre ou avec les Asturies[10] et la Grèce. Aucun autre pays
d'égale étendue ne comprend de telles diversités . . .
Il[11] en résulte la grande variété de produits auxquels le sol
français se prête : variété qui est une garantie pour l'habi-
25 tant, le succès d'une culture pouvant,[12] dans la même année,

[4] **Vidal de la Blache, P.** (1845–1918), geographer, former professor at the
University of Paris.
[5] **tiennent** (as used here) *are due.*
[6] **par là se rattachent à**   *thereby* (*by that*) *are connected with.*
[7] **qu'a traversée notre pays** = **que notre pays a traversée** *which our country has gone through.* Note the construction. **Que** (**qu'**) is often followed by
verb rather than the subject.
[8] **Flandre . . . Normandie . . . Béarn . . . Rousillon . . . Provence.**   See
map, p. 12.
[9] **la Basse-Allemagne**   *North Germany.*
[10] **les Asturies**   *Asturias,* a region in northwest Spain (on the Bay of
Biscay).
[11] **Il en résulte**   *the result of it is.*
[12] **pouvant:** The present participle in French ends in **-ant**; its English
equivalent ends in *-ing.*

LE MOT QUI CARACTÉRISE
LE MIEUX LA FRANCE
EST VARIÉTÉ

compenser l'échec d'une autre. 'Le grand avantage, écrivait[13] récemment un consul anglais, que le petit tenancier ou le petit propriétaire a en France, est dans les différences de climat qui favorisent la croissance des articles variés et de
5 petits produits qui ne viennent[14] pas bien dans notre pays.'» —Vidal de la Blache, *Tableau de la géographie de la France*[15]

PENSÉES DIVERSES

1. Le sol français, lui aussi, est un personnage historique. —Vidal de la Blache.
2. Naturellement, vous aimez la Provence. Mais quelle Provence? Il y en a plusieurs. —Colette[16]
3. Quand les poètes veulent charmer l'imagination des hommes, ils les conduisent loin des grandes villes. —Fénelon[17]

EXERCICES

I. Répondez en français:
1. Où est située la France? *l'ouest de l'Europe*,
2. Quelle partie de l'Europe occupe-t-elle? *18 partie du continent*.
3. Quelle forme a-t-elle? *d'un hexagone*
4. Combien de côtés a un hexagone? *6*
5. La France est-elle inaccessible? *no*
6. Quelle mer limite la France au sud? *méditaranée*
7. Par quel océan est-elle limitée à l'ouest? *Atlantique*
8. Nommez les deux mers qui limitent la France au nord. *La man*
9. La France a-t-elle de grandes routes continentales? *oui*.
10. Peut-on aller de Paris à Moscou en automobile? *oui*
11. Qu'est-ce qu'un cours d'eau navigable? *oui*.
12. Les hivers sont-ils rigoureux en France? *oui*
13. Est-ce que le climat de la Provence est trop chaud? *no*,

---

[13] **écrivait**   *wrote.*
[14] **viennent**   (as used here) *grow.*
[15] In Ernest Lavisse, *Histoire de France*, Vol. I.
[16] **Colette**, Gabrielle (1873–1954), leading woman novelist.
[17] **Fénelon** (1651–1715), archbishop, great pulpit orator and writer.

14. Quel mot caractérise la France? *variété*
15. Quel est l'avantage de cette variété au point de vue de l'agriculture? *beaucoup de produits*

II. Apprenez par cœur :

aussi bien que	de plus *furthermore*	il en résulte *the result of it is*
parmi	aucun ... ne *no, not any*	depuis (*since*)
encore une fois	(ne ... aucun)	

III. Traduisez sans regarder le texte ni le vocabulaire :
1. La France occupe un des carrefours les plus fréquentés du monde.
2. Ces ports sont parmi les plus proches de l'Amérique.
3. Regardez la carte encore une fois.
4. De plus, ils sont peu rigoureux.
5. Les hivers sont peu rigoureux.
6. Le climat de la Provence est parmi les plus agréables du monde, en hiver aussi bien qu'en été.
7. Aucun autre pays d'égale étendue ne comprend de telles diversités.
8. Il en résulte la grande variété de produits auxquels le sol français se prête.

+ mer do Nord.

Les Français

[NOTE: Except for two verb forms, the reading so far has been in the present tense. In this passage and in several more to come, the basic tense will continue to be the present. From now on, however, you will find some forms of the *passé composé*. If you have not studied this tense, familiarize yourself with the following model:

j'ai parlé (fini, vendu or any other past participle)
tu as parlé (fini, etc.)
il a parlé
nous avons parlé
vous avez parlé
ils ont parlé

The *passé composé* has three possible translations. Thus **J'ai parlé** may be translated as *I have spoken* or *I spoke* or *I did speak*. The correct translation must, of course, depend upon the context. Thus **J'ai parlé à Paul** may be translated word for word, *I have spoken to Paul* but **J'ai parlé à Paul hier** cannot be so translated since *I have spoken to Paul yesterday* is not good English.]

La variété qui caractérise le climat et le sol de la France se retrouve aussi dans le caractère, les coutumes, et les traits physiques des Français. Le Français typique n'existe pas. La race française est un mélange de bien[1] des peuples:
5 Gaulois, Celtes, Ligures, Ibères, Romains, Germains,

---
[1] **bien des (de, du,** etc.)=**beaucoup de.**

Scandinaves, etc. Dès la préhistoire jusqu'à la guerre de
'39,[2] les routes du commerce ont été les routes de nombreuses invasions. Quelques-uns des peuples envahisseurs—
les Huns au cinquième siècle, les Lombards au sixième, les
Arabes au huitième—ont été décisivement battus et chassés 5
du pays, mais d'autres ont été plus insidieux ou plus tenaces. Ceux-ci n'ont pas effacé les traits des peuples primitifs
du pays, la plupart Gaulois et Celtes, mais ils les ont modi-
fiés. Certains peuples ont dominé dans certaines parties du
pays : Romains surtout dans les provinces du sud, Ger- 10
mains et Scandinaves dans celles du nord, Celtes encore dans
le plateau central et dans l'ouest, et bien d'autres.

Tous ces hommes sont encore aujourd'hui, au physique,
différents les uns des autres. Ainsi les Bretons sont trapus,
les Gascons agiles, les Alsaciens robustes, les Flamands 15
blonds, les Provençaux bruns ; les Normands, hommes du
nord, ont, comme leurs pères les Vikings, la taille grande,
les yeux bleus, les cheveux blonds.

Avec les traits physiques de leurs ancêtres, ces hommes
ont gardé (*kept*) leur tempérament, leurs coutumes, leurs 20
traditions. Ainsi les Bretons sont têtus et imaginatifs, les
Flamands placides et pratiques, les Normands rusés,
économes et audacieux.

Outre le français classique, parlé dans les grandes villes,
les milieux cultivés et partout ailleurs quand il[3] le faut, on 25
parle, dans certaines provinces, des dialectes qui décèlent
l'origine des habitants. En Bretagne, par exemple, les habitants, dont la plupart sont des Celtes réfugiés d'Irlande,
parlent une langue celtique.

«Tous les mélanges, dit Siegfried,[4] ne donnent pas de mau- 30
vais résultats. Le peuple français paraît[5] s'être plutôt enrichi
de ces apports variés : nous devons aux Latins notre lucidité

[2] **la guerre de '39** *World War II.*
[3] **il le faut** *it is necessary to do so.*
[4] **Siegfried, André** (1875—), distinguished French economist and sociologist.
[5] **paraît s'être plutôt enrichi de ces apports variés** *seems to have rather
enriched itself from these various contributions.*

intellectuelle, notre don d'expression; aux Celtes notre esprit [6] artistique, notre individualisme poussé à l'occasion jusqu'à l'anarchie; aux Germains ce que nous avons de génie organisateur et constructif.» —Siegfried, *L'Âme des*
5 *peuples*

Sous l'influence de l'éducation et de la politique, les Français ont développé, de bonne heure, un esprit commun dont les traits les plus importants sont l'amour de la famille et de la patrie, le sentiment de l'honneur et de la politesse, le sens de
10 la mesure, la passion de la liberté et de l'égalité politique.

Ces traits généraux donnent une certaine homogénéité au caractère français. Ils forment pour ainsi dire «l'élément liant» du peuple français. Il [7] ne faut pas oublier, cependant, qu'en parlant du caractère d'un peuple essentiellement
15 hétérogène tel que le français ou l'américain, on peut tout affirmer ou tout nier. Voici quelques observations d'André Maurois [8] à ce sujet:

«Est-il possible de peindre en quelques traits [9] le caractère d'un peuple? Sur de tels sujets tout est faux, tout est vrai.
20 Madariaga [10] définit l'Anglais homme d'action, l'Espagnol homme de passion. Mais Lyautey [11] et Lesseps, Français, sont hommes d'action; Pascal et Rimbaud, Français, hommes de passion. Siegfried loue le Français d'être individualiste; Brownell [12] regrette son absence d'individualisme. Le Fran-
25 çais, suivant l'auteur consulté, apparaît conservateur ou radical, frivole ou sérieux, avare ou généreux. L'Allemand et le Russe le jugent anti-moderne, mais la peinture et la

[6] **esprit** (as used here) *sense.*
[7] **Il ne faut pas oublier** *One must not forget* or *It must not be forgotten.* Il ne faut pas means *one must not*; *it is not necessary* is expressed by il n'est pas nécessaire.
[8] **Maurois,** André (1885—), outstanding man of letters.
[9] **traits** (as used here) *strokes.*
[10] **Madariaga,** Salvador de (1886—), Spanish essayist and internationalist.
[11] **Lyautey** (1854–1943), Marshal of France; Ferdinand **de Lesseps** (1805–1899), French diplomat and engineer, planned and supervised the building of the Suez Canal; Arthur **Rimbaud** (1854–1899), poet, forerunner of the symbolistic movement.
[12] **Brownell,** William G. (1851–1928), American critic and scholar.

musique modernes sont[13] nées en France. L'Anglais et le
Scandinave lui reprochent de[14] ne pas penser Européen,
mais les seuls projets réalistes de société internationale ont
été rédigés par des Français. 'Le Français ne fait pas le tour
du monde,' écrit Morand,[15] mais il l'écrit en faisant le tour 5
du monde. 'Je vois bien tel cheval,' disait[16] Aristote, 'je ne
vois pas la chevaléité.'[17] Je puis décrire tel Français, mais
comment décrire le Français?» —Maurois, *Mes Songes que
voici*

Malgré les apparences dues aux fréquentes crises minis- 10
térielles, il est hors de doute que l'unité nationale française
est bien solide. Selon Siegfried elle est plus sociale que
politique, «la force de la nation n'étant pas dans l'État, mais
dans la famille, et surtout l'individu. En France, le civisme
est médiocre, mais le ciment social a une solidité de roc.» 15
—Siegfried, *L'Âme des peuples*

PENSÉES DIVERSES

1. Chez les Français, la légèreté apparente du caractère s'accom-
pagne d'une endurance et d'une élasticité singulière.
—Valéry[18]
2. Les races pures n'existent plus que[19] parmi les primitifs.
—Dr. Le Bon[20]
3. Un peuple est un miroir où chaque voyageur contemple sa
propre[21] image. —Maurois

[13] **sont nées** *were born.* What does the preceding adjective, **modernes**, modify? How can you tell?
[14] **de ne pas penser Européen** *for not thinking as a European.* The two members of a negation usually precede the infinitive.
[15] **Morand, Paul** (1889—), French writer and traveler.
[16] **disait Aristote** *Aristotle would* (used to) *say.* Aristotle: the famous Greek philosopher, 384–322 B.C.
[17] **chevaléité** a word invented by Maurois to designate all the horses of all types and breed—*horsedom*, so to speak.
[18] **Valéry, Paul** (1871–1945), one of the great modern thinkers—poet, critic, and man of letters.
[19] **que** *except.*
[20] **Le Bon, Gustave** (1841–1931), physician and sociologist.
[21] **propre** *own.*

EXERCICES

I. Répondez en français :
1. Quel est le Français typique?
2. La race française est un mélange de bien des races. Nommez-en quelques-unes.
3. Nommez quelques peuples qui ont été battus et chassés du pays.
4. Dans quelle partie de la France les Romains ont-ils dominé?
5. Décrivez les Normands.
6. Outre le français classique, quelle langue parle-t-on en Bretagne?
7. Selon Siegfried les Français doivent (*owe*) aux Latins leur don d'expression. A qui doivent-ils leur esprit artistique?
8. Sous quelle influence les Français ont-ils développé un esprit commun?
9. Citez les traits les plus importants de cet esprit commun.
10. Peut-on peindre le caractère d'un peuple en quelques traits?
11. Lesseps est-il un homme de passion?
12. Où sont nées la peinture et la musique modernes?
13. L'unité nationale française est-elle faible?
14. Le civisme français est-il bien solide?

II. Apprenez par cœur :

bien des (de, du, etc.) *much, many*	(tel) que *such as*	ce qui *that, which*
surtout *above all*	dès *from, since*	ce que *what, "*
partout *everywhere*	plutôt *rather*	cependant
il ne faut pas *one must not*	jusqu'à	ne . . . plus
malgré *in spite of*	selon *according to*	

III. Traduisez sans regarder le texte ni le vocabulaire :
1. La race française est un mélange de bien des peuples.
2. Dès la préhistoire jusqu'à la guerre de '39 les routes du commerce ont été les routes des invasions.
3. Ces hommes ont gardé leurs traditions.
4. On parle le français classique quand il le faut.
5. En parlant du caractère d'un peuple, on peut tout affirmer.
6. Il ne faut pas oublier cela (*that*).
7. Il est hors de doute que l'unité nationale française est bien solide.

Le Prestige de la langue française

◯ LES LANGUES DU MONDE

On calcule que le nombre de langues parlées dans le monde s'élève à plus de deux mille, sans compter les dialectes et leurs variations. On les divise en plusieurs groupes dont les deux principaux sont celui des langues *indo-européennes* parlées par la moitié de la population du 5 globe, et celui des langues *sino-tibétaines* parlées par le quart de la population du monde.

Le premier de ces deux groupes comprend le français, l'italien, l'espagnol (et les autres langues romanes), le grec, l'allemand, l'anglais, l'irlandais; les langues scandinaves, 10 celles slaves (qui comprennent le russe, le polonais, le tchèque, le lituanien, etc.), le persan, l'arménien, beaucoup de langues parlées en Inde, et bien d'autres. Les langues sino-tibétaines comprennent le chinois, le tibétain, le birman, et beaucoup d'autres. 15

Parmi les langues qui n'appartiennent ni aux langues indo-européennes ni à celles sino-tibétaines, il faut nommer au moins l'arabe, le japonais, et le turc, qui sont parlés par une grande partie de l'humanité.

Les langues vivantes changent. Elles se modifient sans 20 cesse. Au point de vue de la grammaire, l'évolution des langues est tout à fait contraire à l'évolution biologique. En biologie les espèces évoluent progressivement du simple au complexe, les langues du complexe au simple. Le français, l'italien, et les autres langues romanes sont, au point de vue 25 grammatical, plus simples que leur ancêtre, le latin.

LES PARLERS DE FRANCE[1]

Les parlers de France sont très nombreux. Il[2] existe
d'abord un français normal, classique, celui qui se parle dans
les milieux cultivés du Nord, et en particulier dans le monde
parisien. Par l'école primaire, la conscription et le suffrage
5 universel, par les journaux surtout, ce langage a été diffusé
à peu près partout, et un très grand nombre de Français
savent l'employer quand il leur plaît. Dans la plupart des
provinces, le français officiel est doublé d'un patois. Le
peuple de Paris lui-même a des tournures, des intonations,
10 tout[3] un dialecte à lui (sans compter ses argots), qu'il
blâmerait[4] fort chez un homme public. Presque partout
aussi, la prononciation diffère de la prononciation cultivée
du Nord.

Les dialectes français se divisent en deux grandes familles,
15 comme au Xe siècle. Le français du Nord et ses variantes
sont parlés dans les plaines septentrionales et dans toutes
les villes; on les rencontre même dans le Sud-Ouest:
l'Angoumois[5] parle français aussi purement que Paris. Les
sonores dialectes «occitans»,[6] au contraire, règnent sur la
20 portion sud-est et montagneuse, de la Provence au
Limousin . . .

Aux extrémités du pays, le français du Nord ou du Midi
n'est pas seul employé. Des dialectes celtiques sont parlés

---

[1] This expression is better left untranslated. The noun **parler** refers to
the manner of speech and it also means *language, dialect.* The author of this
section is **Émile Saillens** (1878—), a French author and scholar who has
traveled extensively in his country to do research on folklore and history.
Though written in 1925, what Monsieur Saillens is saying about **les parlers
de France** is still true. To complete the picture, however, one should add that
radio and television speakers use the speech of the educated Parisians.

[2] **Il existe** = il y a   (a common idiom).

[3] **tout un dialecte à lui**   *an entire dialect of its own.*

[4] **qu'il blâmerait fort chez un homme public**   *which it would blame in no
uncertain terms in a public man.*

[5] **Angoumois.** See map, p. 11.

[6] **«occitans»**   *southern.* In the Middle Ages, **le Languedoc** was called
L'Occitanie.

par plus d'un million de Bretons, des dialectes bas-allemands
par presque autant d'Alsaciens et environ 150,000 Flamands; des dialectes italiens par 200,000 Corses et 50,000
Niçois; enfin 120,000 Basques français peuvent communiquer avec leurs frères d'Espagne, quatre fois plus nombreux, 5
dans la langue mystérieuse qu'ils nomment *euscara.*—Émile
Saillens, *Toute la France*

LE FRANÇAIS PHÉNOMÈNE SOCIAL[7]

La langue sert[8] de lien entre les différents membres de la
société; elle met[9] en rapport les différents individus du
même groupe linguistique. Envisagé de ce point de vue le 10
français, grâce à sa clarté, est supérieur à toutes les autres
langues. Ce n'est pas en vain que trois siècles y[10] ont
travaillé avec une ardeur incomparable. Depuis Malherbe,[11]
le génie de la nation française a travaillé plus ou moins consciemment à [12] en éliminer ce qui aurait pu rendre difficile 15
le contact social . . . Ce long travail a fait de la langue française une langue de communication dont la plus haute am-
bition est de rendre possible et agréable la vie sociale . . .
Beaucoup de grands écrivains ont enrichi la langue française
et ont contribué à la transformer. Mais aucun d'eux n'a fait 20
pour le français ce que Shakespeare a fait pour l'anglais,
Dante pour l'italien. Dans ces deux langues les forces
créatrices se sont[13] incarnées dans un génie; en France elles

[7] This and the next section are by the eminent linguistic historian,
Walter von Wartburg (1888—).
[8] **sert de lien** *serves as a bond.*
[9] **met en rapport** *puts into contact.*
[10] **y ont travaillé** *have worked at it.* Do not acquire the bad habit of
translating y by *there.*
[11] **Malherbe, François de** (1555–1628), grammarian, critic, and poet.
[12] **à en éliminer ce qui aurait pu rendre difficile le contact social** *to elimin-
ate from it what might have rendered social contact difficult.*
[13] **se sont incarnées . . . se sont cristallisées.** The *passé composé* of all re-
flexive verbs and some intransitive verbs is formed by adding the past participle to the auxiliary *être.* Regardless of whether the auxiliary is *avoir* or
être, the *passé composé* has three possible translations. (See p. 14.)

se sont cristallisées dans toute une couche[14] de la population. —von Wartburg, *Évolution et structure de la langue
française*

LA LANGUE INTERNATIONALE PAR EXCELLENCE

Le caractère social de la langue française, auquel il faut
5 joindre sa grâce, son élégance, sa souplesse, la prédestinent
à être la langue internationale par excellence. Ensemble ces
qualités lui donnent une force de propagande incomparable ;
elles aident puissamment à l'extension de la civilisation
française . . . Si l'anglais l'emporte[15] dans le monde des
10 affaires, il ne le doit pas à ses qualités comme langue, mais
simplement au principe de la majorité ; aucune autre langue
parlée par des Européens ne peut rivaliser avec lui quant à
l'extension et au nombre d'adhérents. La langue française,
il est vrai, a pris son rang à[16] un moment où aucune
15 autre langue n'était prête à le lui contester ; mais si elle a
conservé son prestige elle ne le doit pas à la situation
politique et commerciale de la France, ni à cette tradition
de trois siècles ; elle le doit à elle-même. —von Wartburg,
Évolution et structure de la langue française

PENSÉES DIVERSES

1. La lucidité est une grâce que la volonté ne suffit pas à produire. —Grasset[17]
2. Ce que l'on conçoit bien s'annonce clairement.
   Et les mots pour le dire arrivent aisément. —Boileau[18]
3. La gloire ou le mérite de certains hommes est de bien écrire ;
   et de quelques autres, c'est de n'écrire point. —La Bruyère[19]

[14] **couche** *level.*

[15] **l'emporte** *wins out* or *triumphs,* that is to say, is spoken by more
people than French is.

[16] **à un moment où aucune autre langue n'était prête à le lui contester** *at
a time when no other language was ready to dispute its position* (literally, . . . *to
contest it to it*).

[17] **Grasset,** Bernard (1881–1955), French author and book publisher.

[18] **Boileau,** Nicolas (1636–1711), literary critic, poet, and satirist.

[19] **La Bruyère,** Jean de (1645–1696), moralist, author of the *Caractères,* a
volume of satirical studies of 17th-century society.

W ou O **EXERCICES**

I. Répondez en français :
 1. Combien de langues y a-t-il dans le monde? *deux mille* (2,000)
 2. Nommez deux ou trois langues romanes.
 3. L'anglais est-il une langue romane?
 4. Nommez les langues slaves les plus importantes.
 5. A quel groupe de langues appartient le chinois?
 6. Nommez deux ou trois langues qui n'appartiennent ni *Jap, arab, Turk* aux langues indo-européennes ni à celles sino-tibétaines.
 7. L'évolution des langues ressemble-t-elle à l'évolution biologique?
 8. Où se parle le français classique?
 9. Est-ce que les journaux aident à la diffusion des patois?
 10. Où se parlent les sonores dialectes «occitans»?
 11. Quels dialectes parlent les Alsaciens? *allemand*
 12. Grâce à quoi le français est-il supérieur à toutes les autres langues?
 13. Combien d'écrivains ont enrichi la langue française?
 14. Quelle est la langue internationale par excellence?
 15. A quoi la langue française doit-elle son prestige? *elle-même*

II. Apprenez par cœur :

servir de	**l'emporter**	**autant (de)**
au moins	**enfin**	**quant à**
tout à fait	**il existe**	**ne . . . point**
d'abord	**à peu près**	

III. Traduisez sans regarder le texte ni le vocabulaire :
 1. Le nombre de langues parlées dans le monde s'élève à plus de deux mille.
 2. Au point de vue de la grammaire, l'évolution des langues est tout à fait contraire à l'évolution biologique.
 3. Il existe d'abord un français normal, celui qui se parle dans les milieux cultivés.
 4. Ce langage a été diffusé à peu près partout, et les Français savent l'employer quand il leur plaît.
 5. La langue sert de lien entre les différents membres de la société.
 6. Aucun grand écrivain n'a fait pour le français ce que Shakespeare a fait pour l'anglais.

7. Si l'anglais l'emporte dans le monde des affaires, il ne le doit pas à ses qualités comme langue.
8. Aucune autre langue parlée par des Européens ne peut rivaliser avec l'anglais quant à l'extension et au nombre d'adhérents.

Le Jour de Catherine[1]

ANATOLE FRANCE[2]

Il est cinq heures. Mademoiselle Catherine reçoit ses
poupées. C'est son jour. Les poupées ne parlent pas: le
petit Génie[3] qui leur donna le sourire leur refusa la parole.
Il agit ainsi pour le bien du monde: si les poupées parlaient,[4]
on n'entendrait qu'elles. Pourtant le cercle est animé. 5
Mademoiselle Catherine parle pour ses visiteuses aussi bien
que pour elle-même; elle fait les demandes et les réponses.

—Comment allez-vous, madame?

—Très bien, madame. Je me suis[5] cassé le bras hier matin
en allant acheter des gâteaux. Mais c'est guéri. 10

—Ah! tant mieux!

—Et comment va votre petite?

—Elle a la coqueluche.

—Ah! quel malheur! Elle tousse?

—Non, c'est une coqueluche qui ne tousse pas. 15

[1] *Catherine's At-Home Day.*

[2] **France**, Anatole (1844–1924), one of France's greatest literary artists, is
especially noted for his harmonious and pure style and for his delicate irony.
He received the Nobel prize for literature in 1921.

[3] **le petit Génie qui leur donna le sourire leur refusa la parole** *the little
spirit that gave them smiles refused them speech.*

[4] **si les poupées parlaient, on n'entendrait qu'elles** *if dolls could talk, one
would hear no one else* (literally, *if dolls talked, one would hear only them*).

[5] **Je me suis cassé le bras** *I broke my arm.*

—Vous savez, madame, j'ai encore [6] eu deux enfants la semaine dernière.

—Vraiment? Cela fait quatre.

—Quatre ou cinq, je ne sais plus. Quand on en a tant, on s'embrouille.

—Vous avez une bien jolie toilette.

—Oh! j'en ai de bien plus belles encore à la maison.

—Allez-vous au théâtre?

—Tous les soirs. J'étais [7] hier à l'Opéra; mais Polichinelle n'a pas joué, parce que le loup l'avait [8] mangé.

—Moi, ma chère, je vais au bal tous les jours.

—C'est bien amusant.

—Oui, je mets une robe bleue et je danse avec des jeunes gens, tout [9] ce qu'il y a de mieux, des généraux, des princes, des confiseurs.

—Vous êtes jolie comme un cœur aujourd'hui, ma mignonne.

—C'est le printemps.

—Oui, mais quel dommage qu'il neige!

—Moi, j'aime la neige, parce qu'elle est blanche.

—Oh! il y a de la neige noire.

—Oui, mais c'est la vilaine neige.

Voilà une belle conversation; Mademoiselle Catherine la soutient avec agilité. Je lui ferai [10] pourtant un reproche: elle cause sans cesse avec la même visiteuse qui est jolie et qui a une belle robe. Elle a tort. Une bonne maîtresse de maison est également affable avec toutes les invitées. Elle les traite toutes avec sollicitude et, si elle peut montrer quelque préférence, ce n'est qu'aux plus modestes et aux moins heureuses. Il faut flatter le malheur: c'est la seule

---

[6] j'ai encore eu deux enfants *I had two more children.*

[7] J'étais *I was.*

[8] l'avait mangé *had eaten him up.*

[9] tout ce qu'il y a de mieux *nothing but the best.* What does it say, literally?

[10] Je lui ferai pourtant un reproche *However, I shall reproach her for one thing.*

flatterie qui soit[11] permise. Mais Catherine l'a compris d'elle-même. Elle a deviné la vraie politesse : c'est le cœur qui l'inspire. Elle sert le thé à ses hôtesses et elle n'en oublie aucune. Elle insiste au contraire auprès des poupées qu'elle sait pauvres, malheureuses et timides, pour qu'elles[12] prennent des petits gâteaux invisibles et des sandwichs faits avec des dominos.

Catherine aura[13] un jour un salon où fleurira la vieille politesse française. —*Nos Enfants*

PENSÉES DIVERSES

1. Il y a dans Paris un grand nombre de petites sociétés [salons] où préside toujours quelque femme qui, dans le déclin de sa beauté, fait[14] briller l'aurore de son esprit. —Voltaire[15]
2. Dans les œuvres des arts, l'imagination est la toute-puissance ; le plus haut point du genre est de créer des caractères et de composer une fable. —Vigny[16]
3.   Tout passe.—L'art robuste
        Seul a l'éternité. —Gautier[17]

EXERCICES

I. Répondez en français :
 1. A quelle heure Mademoiselle Catherine reçoit-elle les poupées?
 2. Expliquez la phrase : *C'est son jour.*
 3. Est-ce que le cercle est inanimé?
 4. Mademoiselle Catherine a-t-elle de l'imagination?
 5. Comment soutient-elle la conversation?
 6. Cause-t-elle avec plusieurs visiteuses?

[11] **qui soit permise** *permissible* or *which is permitted.* **Soit** is the present subjunctive of **être.**
[12] **pour qu'elles prennent** *that they should take.*
[13] **aura . . . fleurira** *will have . . . will flourish.*
[14] **fait briller l'aurore de son esprit** *makes the dawn of her wit shine.*
[15] See p. 57, n. 1.
[16] **Vigny,** Alfred de (1794–1863), poet, novelist, and dramatist.
[17] **Gautier,** Théophile (1811–1872), poet, critic, and novelist.

7. Est-ce que l'auteur est content de cela?
8. Qu'est-ce qu'il faut flatter?
9. Mademoiselle Catherine a-t-elle compris cela?
10. Qu'est-ce qu'elle aura un jour?
11. Demandez au professeur de vous expliquer brièvement le rôle des salons dans la culture française.

II. Apprenez par cœur:

tant (cf. **autant**)   **auprès de**
pourtant   **avoir tort** (**raison**)
hier   **tous les jours** (**soirs**, etc.)
quelque

III. Traduisez sans regarder le texte ni le vocabulaire:
1. Elle parle pour les visiteuses aussi bien que pour elle-même.
2. Je me suis cassé le bras.
3. Vous avez une bien jolie toilette.
4. Vous êtes jolie comme un cœur.
5. Quel dommage qu'il neige!
6. Si elle peut montrer quelque préférence, ce n'est qu'aux plus modestes.
7. Elle a compris cela d'elle-même.

Les Fautes des grands [1]

ANATOLE FRANCE

C'est pour aller voir un ami, l'ami Jean, que Roger, Marcel, Bernard, Jacques et Étienne ont pris la route nationale qui déroule au soleil, le long [2] des prés et des champs, son [3] joli ruban jaune, traverse les bourgs et les hameaux et conduit, dit-on, jusqu'à la mer où sont les 5 navires.

Les cinq compagnons ne vont pas si loin. Mais il leur [4] faut faire une belle course d'un kilomètre pour atteindre la maison de l'ami Jean.

Les voilà partis. On les a laissés aller seuls, sur la foi de 10 leurs promesses; ils se sont engagés à marcher sagement, à ne se point [5] écarter du droit chemin, à éviter les chevaux et les voitures et à ne point quitter Étienne, le plus petit de la bande.

Les voilà partis. Ils s'avancent en ordre sur une seule 15 ligne. On ne peut [6] mieux partir. Pourtant, il y a un défaut à cette belle ordonnance. Étienne est trop petit.

---

[1] *Big Boys' Faults.*

[2] **le long des prés**   *along the meadows.*

[3] **son jolie ruban jaune**   *like a pretty yellow ribbon.*

[4] **il leur faut faire une belle course d'un kilomètre**   *they have the respectable distance of a kilometer to go. A kilometer = about ⅝ of a mile.*

[5] **à ne se point écarter du droit chemin**   *not to stray at all from the right road.*

[6] **On ne peut mieux partir**   *One cannot get a better start (One cannot start better).* Ne (without **pas**) is often used with fully negative force with such verbs as **pouvoir, savoir, cesser,** and **oser** (*to dare*).

29

Un grand courage s'allume [7] en lui. Il s'efforce, il hâte le pas. Il ouvre toutes [8] grandes ses courtes jambes. Il agite ses bras par surcroît. Mais il est trop petit, il ne peut pas suivre ses amis. Il reste en arrière. C'est fatal ; les philosophes
5 savent que les mêmes causes produisent toujours les mêmes effets. Mais Jacques, ni Bernard, ni Marcel, ni même Roger, ne sont des philosophes. Ils marchent selon leurs jambes, le pauvre Étienne marche avec les siennes : il n'y a pas de con- cert (*harmony*) possible. Étienne court, souffle, crie, mais
10 il reste en arrière.

Les grands, ses aînés, devraient [9] l'attendre, direz-vous, et régler leur pas sur le sien. Hélas, ce serait [10] de leur part une haute vertu. Ils sont en cela comme les hommes. En avant, disent les forts de ce monde, et ils laissent les faibles en
15 arrière. Mais attendez la fin de l'histoire.

Tout à coup, nos grands, nos forts, nos quatre gaillards s'arrêtent. Ils ont vu par terre une bête qui saute. La bête saute parce qu'elle est une grenouille, et qu'elle [11] veut gagner le pré qui longe la route. Ce pré, c'est sa patrie : il lui
20 est cher, elle y a son manoir auprès d'un ruisseau. Elle saute.

C'est une grande curiosité qu'une [12] grenouille.

Celle-ci est verte ; elle a l'air d'une feuille vivante, et cet air lui donne quelque chose de merveilleux. Bernard, Roger, Jacques et Marcel se jettent à sa poursuite. Adieu Étienne,
25 et la belle route toute jaune ; adieu leur promesse. Les voilà dans le pré ; bientôt ils sentent leurs pieds s'enfoncer dans la terre grasse qui nourrit une herbe épaisse. Quelques pas

---

[7] **s'allume en lui** *sparks him.*

[8] **toutes grandes** *wide.*

[9] **devraient l'attendre, direz-vous** *should wait for him, you will say.*

[10] **ce serait de leur part une haute vertu** *it (that) would be a great virtue on their part.*

[11] **qu'elle = parce qu'elle.** **Que** is often used instead of a preceding con- junction to avoid repetition.

[12] **qu'une grenouille.** In the construction c'est . . . que, the que intro- duces the real subject, for emphasis. This particular sentence may be rendered *A frog is a great natural curiosity* or *It is a great natural curiosity, a frog is.*

encore et ils s'embourbent jusqu'aux genoux. L'herbe
cachait[13] un marécage.

Ils s'en tirent[14] à grand'peine. Leurs souliers, leurs chaus-
settes, leurs mollets sont noirs. C'est la nymphe du pré
vert qui a mis les guêtres de fange aux quatre désobéissants. 5
Étienne les rejoint tout essoufflé. Il ne sait, en les voyant
ainsi chaussés,[15] s'il doit[16] se réjouir ou s'attrister. Il médite
en son âme innocente les catastrophes qui frappent les
grands et les forts. Quant aux quatre guêtrés, ils retournent
piteusement sur leurs pas, car le moyen,[17] je vous prie, 10
d'aller voir l'ami Jean en pareil équipage? Quand ils rentreront[18] à la maison, leurs mères liront leur faute sur leurs
jambes, tandis que la candeur du petit Étienne reluira sur
ses mollets drus. —*Nos Enfants*

PENSÉES DIVERSES

1. Le petit Alphonse est mal élevé; ce n'est pas sa faute, c'est
   son malheur. —Anatole France
2. L'un des plus grands défauts des hommes est qu'ils cherchent
   presque toujours, dans les malheurs qui leur arrivent par
   leurs fautes, des excuses devant[19] que d'y chercher des remèdes. —Cardinal de Retz[20]
3. Dans l'art la vérité n'est rien, c'est la probabilité qui est tout.
   —Vigny

EXERCICES

I. Répondez en français:
   1. Où vont les cinq compagnons?
   2. Où conduit la route nationale?
   3. Comment s'avancent les cinq compagnons?
   4. Pourquoi Étienne ne peut-il pas suivre ses camarades?

[13] **cachait** *was hiding.*
[14] **Ils s'en tirent à grand'peine** *They get out of it with great difficulty.*
[15] **chaussés** *smeared.*
[16] **s'il doit** *if he should.*
[17] **le moyen . . . d'aller** *how can one go.*
[18] **rentreront . . . liront . . . reluira** *return* (literally, *will return*) *. . . will read . . . will shine.*
[19] **devant que d'y chercher des remèdes** *before seeking remedies for them.*
[20] **Cardinal de Retz** (1613–1679), French politician and writer.

5. Que savent les philosophes?
6. Décrivez l'effort que fait Étienne pour suivre ses camarades.
7. Que disent les forts de ce monde?
8. Pourquoi nos quatre gaillards s'arrêtent-ils?
9. Où la grenouille a-t-elle son manoir?
10. Qui a mis les guêtres de fange aux quatre désobéissants?
11. Comment Étienne les rejoint-il?
12. Qu'est-ce qu'il médite en son âme innocente?

II. Apprenez par cœur:

le long de	bientôt	tandis que
tout à coup	car	loin

III. Traduisez sans regarder le texte ni le vocabulaire:
1. Les cinq compagnons ne vont pas si loin.
2. Ils se sont engagés à marcher sagement.
3. Il ouvre toutes grandes ses courtes jambes.
4. Il reste en arrière.
5. Ils ont vu par terre une bête qui saute.
6. Il ne sait s'il doit se réjouir ou s'attrister.
7. Ils retournent piteusement sur leurs pas.

IV. Révisez ces faux amis (*Review these false friends*).
[NOTE: Some French words do not have the same
meanings as the English words they resemble. Some
others have the same meanings as the English words as
well as different meanings. These are called false cognates. Of all the false cognates you have had so far, the
following are worth reviewing:]

marcher	causer
rester	garder
demander	esprit
attendre	rapport

L'Origine de l'indépendance individuelle

GUIZOT[1]

[NOTE: The basic tenses for this and the next selection are the present and the imperfect.]

Il y a un sentiment, un fait qu'il faut avant tout bien comprendre pour se représenter avec vérité ce qu'était un Barbare: c'est le plaisir de l'indépendance individuelle, le plaisir de se jouer, avec sa force [2] et sa liberté, au milieu
5 des chances du monde et de la vie; les joies de l'activité sans travail; le goût d'une destinée aventureuse, pleine d'imprévu, d'inégalité, de péril. Tel était le sentiment dominant de l'état barbare, le besoin moral qui mettait ces masses d'hommes en mouvement. Aujourd'hui, dans cette société
10 si régulière où nous sommes enfermés, il est difficile de se représenter ce sentiment avec tout l'empire [3] qu'il exerçait sur les Barbares des IVe et Ve siècles. Il y a un seul ouvrage, à [4] mon avis, où ce caractère de la barbarie se trouve empreint dans toute son énergie: c'est l'*Histoire de la conquête*

---

[1] Guizot, François (1787–1874), French statesman and eminent historian.
[2] avec sa force et sa liberté *in full force and liberty.* What does it say literally?
[3] empire *power.*
[4] à mon avis *in my opinion.*

33

de l'Angleterre par les Normands, de M. Thierry.[5] . . . Nulle[6] part on ne voit si bien ce que c'est qu'un Barbare et la vie d'un Barbare. Quelque chose s'en[7] retrouve aussi, quoiqu'à un degré bien inférieur, à mon avis, d'une manière bien 5 moins simple, bien moins vraie, dans les romans de M. Cooper[8] sur les Sauvages d'Amérique. Il y a, dans la vie des Sauvages d'Amérique, dans les relations et les sentiments qu'ils portent au milieu des bois, quelque chose qui rappelle jusqu'à un certain point les mœurs des anciens[9] 10 Germains. Sans doute ces tableaux sont un peu idéalisés, un peu poétiques; le mauvais côté des mœurs et de la vie bar- bares n'y est pas présenté dans toute sa crudité. Il y avait, dans ce besoin passionné d'indépendance personnelle, quel- que chose de plus grossier, de plus matériel qu'on[10] ne le 15 croirait d'après l'ouvrage de M. Thierry; il y avait un degré de brutalité, d'ivresse, d'apathie, qui n'est pas toujours fidèlement reproduit dans ses récits. Cependant, lorsqu'on regarde au fond des choses, malgré cet alliage de brutalité, de matérialisme, d'égoïsme stupide, le goût de l'indépen- 20 dance individuelle est un sentiment noble, moral, qui tire sa puissance de la nature morale de l'homme; c'est le plaisir de se sentir homme, le sentiment de la personnalité, de la spon- tanéité humaine dans son libre développement.

Messieurs,[11] c'est par les Barbares germains que ce senti- 25 ment a été introduit dans la civilisation européenne; il était inconnu au monde romain, inconnu à l'Église chrétienne, inconnu à presque toutes les civilisations anciennes. Quand vous trouvez, dans les civilisations anciennes, la liberté,

---

[5] **Thierry**, Augustin (1795–1856), noted French historian.

[6] **Nulle part on ne voit si bien ce que c'est qu'un Barbare** *Nowhere (else) does one see so well what a Barbarian is.*

[7] **Quelque chose s'en retrouve aussi** *Something about it is also found.*

[8] **Cooper**, James Fenimore (1789–1851), the well-known American novelist.

[9] **anciens** *early.*

[10] **qu'on ne le croirait** *than one would think.* In comparisons **ne** is redund- ant before a conjugated verb.

[11] The book from which this selection is taken consists of 14 lectures which Guizot delivered at the Sorbonne in 1828.

c'est la liberté politique, la liberté du citoyen : ce n'est pas
de sa liberté personnelle que l'homme est préoccupé, c'est
de sa liberté comme citoyen ; il appartient à une association,
il est dévoué à une association, il est prêt à se sacrifier à une
association. Il en était[12] de même dans l'Église chrétienne ; il   5
y régnait un sentiment de grand attachement à la corporation
chrétienne, de dévouement à ses lois, un vif besoin d'étendre
son empire ; ou bien[13] le sentiment religieux amenait une
réaction de l'homme sur lui-même, sur son âme, un travail
intérieur pour dompter sa propre[14] liberté et se soumettre à   10
ce que voulait sa foi. Mais le sentiment de l'indépendance
personnelle, le goût de la liberté se déployant[15] à tout
hasard, sans autre but presque de se satisfaire ; ce sentiment,
je le répète, était inconnu à la société romaine, à la société
chrétienne. C'est par les Barbares qu'il a été importé et   15
déposé dans le berceau de la civilisation moderne. —*Histoire
de la civilisation en Europe*

PENSÉES DIVERSES

1. Les vrais hommes de progrès sont ceux qui ont pour point de
   départ un respect profond du passé. —Renan[16]
2. Ne perdons rien du passé. Ce n'est qu'avec le passé qu'on fait
   l'avenir. —Anatole France
3. Un excellent historien est peut-être encore plus rare qu'un
   grand poète. —Fénelon
4. L'historien digne de ce nom peut toujours prouver quelque
   chose. —Brunetière[17]

EXERCICES

I. Répondez en français :
   1. Les Barbares aimaient-ils l'indépendance?

---

[12] **Il en était de même**   *The same thing was true.*
[13] **ou bien**   *or else.*
[14] **propre.**   Before a noun **propre** means *own.*
[15] **se déployant à tout hasard**   *displaying itself without regard to conse-
quences.*
[16] **Renan**, Ernest (1823–1892), historian and scholar.
[17] **Brunetière**, Ferdinand (1849–1906), literary critic.

2. Quelle sorte d'activité aimaient-ils?
3. Étaient-ils amis des aventures?
4. Qui, selon Guizot, a bien décrit le caractère de la barbarie?
5. Les tableaux de la vie des Sauvages d'Amérique de Feni-more Cooper sont-ils réalistes?
6. Pourquoi le goût de l'indépendance individuelle est-il un sentiment noble?
7. Qui a introduit le sentiment de l'indépendance individuelle dans la civilisation européenne?
8. Ce sentiment était-il connu dans les civilisations anciennes?
9. Caractérisez la liberté des anciens.

II. Apprenez par cœur:

à mon avis	**nulle part . . . ne (ne . . . nulle part)**
quoique	**ou bien**
lorsque	**propre** (before a noun)
prêt	**ne . . . rien (rien . . . ne)**

III. Traduisez sans regarder le texte ni le vocabulaire:
1. Il y a un fait qu'il faut avant tout bien comprendre.
2. Il est difficile de se représenter ce sentiment.
3. Nulle part on ne voit si bien ce que c'est qu'un Barbare.
4. Il y avait dans ce besoin d'indépendance individuelle quelque chose de plus grossier.
5. Lorsqu'on regarde au fond des choses, le goût de l'indé-pendance individuelle est un sentiment noble.
6. Il en était de même dans l'Église chrétienne.

Le Culte du Roi Soleil[1]

RAMBAUD[2]

Le service du roi, ce[3] n'était pas un service ordinaire :
c'était un culte. Son lever, son coucher étaient des céré-
monies presque religieuses. Quand le roi se levait, on introduisait[4] les courtisans, non pas d'un seul coup, mais en cinq
séries, où chacun avait sa place rigoureusement marquée : 5
d'abord *l'entrée*[5] *familière*, qui se composait des princes du
sang ; ensuite *la grande entrée*, qui comprenait les seigneurs
les plus titrés ; puis *l'entrée des brevets*, c'est-à-dire des nobles
particulièrement favorisés ; puis *l'entrée de la chambre*, qui
introduisait une foule de gens parmi lesquels les colonels et les 10
capitaines des gardes ; enfin *la cinquième entrée*, qui amenait
tout le reste. Après la grande entrée, le roi sort du lit : on lui
chausse ses pantoufles . . . Après la cinquième entrée, on lui
présente sa chemise. L'honneur de la lui présenter est réservé aux fils ou aux petits-fils du roi ; à leur défaut, aux 15
princes du sang ; à défaut de ceux-ci, au grand chambellan[6]

---

[1] **Roi Soleil**   Louis XIV.

[2] **Rambaud**, Alfred (1842–1905), French historian.

[3] **ce.** Omit this word. Ce (c') before **être** is often used to summarize a
preceding phrase or word placed first for emphasis.

[4] **introduisait**   *brought in, ushered in.* **Introduire** does not mean *to introduce* in the sense of *to make known*.

[5] **l'entrée familière.**   Do not translate the names of these five **entrées** ;
their meanings are clear from the context.

[6] **chambellan . . . gentilhomme de la chambre.**   The former (*chamber-
lain*) was in charge of the private rooms of the king ; the latter (*groom of the
bedchamber*) was in charge of the king's meals when he ate in his room.

37

Zodiaque: Les chiffres arabes correspondent
aux mois (1, janvier; 2, février; etc.).

ou au premier gentilhomme de la chambre. Même cérémonie
pour les autres pièces de l'habillement. Le *lever* se termine
par une prière dite par l'aumônier. Le roi peut alors se
rendre à son conseil. S'il est indisposé et veut prendre un
5 bouillon, s'il est malade et doit prendre médecine, c'est encore[7] en grand public et grand appareil.

Ses actes les plus indifférents ont leur importance, et
Dangeau, le courtisan modèle, a passé toute sa vie à écrire

[7] **c'est encore en grand public et grand appareil**   *it's again a great pomp
in the presence of a great many people.*

un *journal* qui ne tient pas moins de seize volumes, où l'on [8]
note, heure par heure, tout ce que le roi a dit et fait, tout ce
qui s'est dit et fait autour de lui. Ceux qui tiennent [9] à lui,
qui sont ses *domestiques*, son premier peintre ou son premier
barbier, ont, comme les anciens [10] officiers de nos rois, toute 5
une administration sous leurs ordres. Fagon, premier médecin de Louis XIV, a tenu le «Journal de la santé du Roi», de
son appétit, de ses digestions, de ses indispositions, des pur-
gations et des saignées qu'il lui a prescrites. Tout ce qui
touche à lui est sacré: quand on doit traverser l'apparte- 10
ment du roi et, même en son absence, passer devant son lit,
les femmes du plus haut rang; mais surtout les princesses du
sang, sont tenues de faire une révérence, comme en passant
devant un autel.

Le roi, en tous ses actes, dans sa chambre à coucher, dans 15
sa salle à manger, où il n'admet personne que [11] la reine à
s'asseoir auprès de lui, est en spectacle, et il se prête à cette
curiosité dévote. Partout et toujours, il *représente*, il officie,
il pontifie. Rien n'égale la majesté de son attitude, quand il
descend, suivi de toute sa cour, à pas comptés, la main 20
appuyée sur sa longue canne, le grand escalier de Versailles. [12]
Voyez-le à Marly, [13] où il se croit en villégiature: ce palais
est formé d'un pavillon central et de douze pavillons rangés
à droite et à gauche, par allusion à la demeure du soleil et
aux douze signes du zodiaque. Chaque matin, Louis XIV 25
visitait les douze pavillons, dont les hôtes sortaient à sa

[8] **l'on.** The l' before on is not to be translated. Its use is one of euphony,
usually to avoid pronouncing two vowels in succession.
[9] **tiennent à lui** *are attached to his personal service.*
[10] **anciens.** Before a noun **ancien** usually means *former, old.*
[11] **que** *except.*
[12] **Versailles.** The immense and magnificent chateau of Versailles (in
the city of Versailles, 12 miles southwest of Paris) was built by Louis XIV at
enormous expense. From 1682 until 1789, it was the residence of the royal
court. It is now a national museum.
[13] **Marly** is now Marly-le-Roi, a town of about 3000 people five miles
northwest of Versailles by road. The palace and its 12 summerhouses
(pavillons) referred to in the text were destroyed during the French Revolution.

rencontre, lui rendaient leurs hommages et grossissaient successivement son cortège. C'est majestueusement aussi qu'il s'amusait : Louis XIV, au témoignage de Mlle de Scudéry,[14] «conservait en jouant au billard l'air du maître du monde».

5 —*Histoire de la civilisation française*

PENSÉES DIVERSES

1. Il n'y a pas de Roi dont on parle plus et qu'on connaisse[15] moins que Louis XIV. —Vigny
2. Toutes ces sottises qu'on appelle histoire ne peuvent valoir quelque chose qu'avec les ornements du goût. —Courier[16]
3. L'histoire présente aux hommes le sens philosophique et le spectacle *extérieur* des faits vus dans leur ensemble, le roman historique donne *l'intérieur* de ces mêmes faits examinés dans leur détail. —Vigny

EXERCICES

I. Répondez en français :
1. Le service du roi était-ce un service ordinaire?
2. En combien de séries introduisait-on les courtisans au lever du roi?
3. Quelle entrée se composait des princes du sang?
4. Quelle entrée comprenait les seigneurs les plus titrés?
5. A qui était reservé l'honneur de présenter la chemise au roi?
6. Comment se terminait le lever du roi?
7. Qu'est-ce que Dangeau a noté dans son *journal*?
8. Les femmes que faisaient-elles en passant devant le lit du roi?
9. Comment le roi descendait-il l'escalier du palais de Versailles?
10. Que disait Mademoiselle de Scudéry de Louis XIV?

[14] **Madeleine de Scudéry** (1607–1701), author of two novels of adventure, was prominent in the 17th-century literary-social movement known as **préciosité**.

[15] **connaisse** *knows*.

[16] **Courier**, Paul-Louis (1772–1825), classical scholar and political writer.

II. Apprenez par cœur :

chacun (cf. **chaque**)	**alors**	**se rendre à**
ensuite	**puis**	**ancien**
ne . . . personne	(**ensuite**)	(before noun)
(**personne . . . ne**)		

III. Traduisez sans regarder le texte ni le vocabulaire :

1. Le service du roi, ce n'était pas un service ordinaire.
2. On les introduisait, non pas d'un seul coup, mais en cinq séries.
3. Cet honneur est réservé aux petits-fils du roi ; à leur défaut, aux princes du sang.
4. Le roi peut alors se rendre à son conseil.
5. Elles sont tenues de faire une révérence devant son lit.
6. Ses domestiques ont, comme les anciens officiers du roi, toute une administration sous leurs ordres.
7. Il n'admet personne que la reine à s'asseoir auprès de lui.
8. Il descend à pas comptés.

Déjeuner du matin

PRÉVERT[1]

Il a mis le café
Dans la tasse
Il a mis le lait
Dans la tasse de café
Il a mis le sucre
Dans le café au[2] lait
Avec la petite cuiller
Il a tourné[3]
Il a bu le café au lait
Et il a reposé la tasse
Sans me parler
Il a allumé
Une cigarette
Il a fait[4] des ronds
Avec la fumée
Il a mis les cendres
Dans le cendrier
Sans me parler

---

[1] **Prévert,** Jacques (1900—), contemporary poet. Unlike many French contemporary poets, Prévert is clear, simple, often humorous. Like them, he does not care for rhyme or punctuation.

[2] **café au lait** *coffee with milk* (the usual breakfast of many French people).

[3] **a tourné** *stirred.*

[4] **a fait des ronds** *made (smoke) rings.*

Sans me regarder
Il s'est levé
Il a mis
Son chapeau sur sa tête
Il a mis son manteau de pluie
Parce qu'il pleuvait
Et il est parti
Sous la pluie
Sans une parole
Sans me regarder
Et moi j'ai pris
Ma tête dans ma main
Et j'ai pleuré. —*Paroles*

PENSÉES DIVERSES

1. Ce que les femmes aiment, c'est qu'on les aime.[5] —Vigny
2. On pardonne tant qu'on aime. —La Rochefoucauld[6]
3. On n'aime pas une femme pour ce qu'elle dit; on aime ce qu'elle dit parce qu'on l'aime. —Maurois
4. Les femmes vont plus loin en amour que les hommes; mais les hommes l'emportent sur elles en amitié. —La Bruyère
5. En France la femme a plus que l'homme, instinctivement, la connaissance, le goût et la pratique[7] de son siècle.—Giraudoux[8]

EXERCICES

I. Répondez en français:
   1. Qu'est-ce qu'il a mis dans la tasse?
   2. Qu'est-ce qu'il a mis dans la tasse de café?
   3. Qu'est-ce qu'il a mis dans le café au lait?
   4. Qu'est-ce qu'il a allumé?

[5] *Women love to be loved.* What does it say, literally?
[6] **La Rochefoucauld**, François, duc de (1613–1680), moralist and writer of *Maximes*. See p. 65.
[7] **la pratique de son siècle** *the experience of the time she lives in.*
[8] **Giraudoux**, Jean (1882–1944), diplomat, novelist, and outstanding dramatist.

5. Avec quoi a-t-il fait des ronds?
6. Où a-t-il mis les cendres?
7. Pourquoi a-t-il mis le manteau de pluie?
8. Qu'est-ce qu'il a dit avant de partir?
9. Pourquoi est-ce que j'ai pleuré?

II. Apprenez par cœur:

sous　　　　　　**l'emporter sur**　　　　　　**tant que** (cf. **tant de**)

III. Traduisez sans regarder le texte ni le vocabulaire:
1. Il a mis le sucre dans le café au lait.
2. Il a fait des ronds avec la fumée.
3. Il s'est levé sans parler et il est parti.
4. Les hommes l'emportent sur les femmes en amitié.

Visite au Président Washington

CHATEAUBRIAND[1]

[NOTE: The basic tense of this selection is the simple past.]

Lorsque j'arrivai à Philadelphie, le grand Washington n'y était pas. Je fus obligé de l'attendre une quinzaine de jours; il revint. Je le vis passer dans une voiture qu'emportaient[2] avec rapidité quatre chevaux fringants, conduits à grandes guides. Washington, d'après mes idées d'alors, 5 était nécessairement Cincinnatus;[3] Cincinnatus en carrosse dérangeait un peu ma république de l'an de Rome 296.[4] Le

---

[1] **Chateaubriand,** René, vicomte de (1786-1848), world traveler, diplomat, and man of letters of great merit and fame. He is the creator of a "new prose" that is remarkable for its musical sound, color, and poetry. He exercised a great influence on the Romantic movement. The above passage is taken from one of his earlier works, *Voyage en Amérique*, an account of a journey he had undertaken in 1791 to discover the Northwest Passage.

[2] **qu'emportaient** *drawn by*. When **que** is immediately followed by the verb and there are modifiers so that the subject is far away, it is better to translate passively (*drawn by, eaten by, loved by,* etc.).

[3] **Cincinnatus.** This semilegendary Roman patrician is renowned for his simplicity. He lived and worked on his small farm. In 458 B.C. and then again in 439, he became dictator of Rome. Each time, after saving the state by defeating the enemy, he relinquished his office and returned to his plow.

[4] **l'an de Rome 296.** By this time the power of the patricians had been broken and Rome had become a republic. In Chateaubriand's mind, the

dictateur Washington pouvait-il être [5] autre chose qu'un
rustre piquant ses bœufs de l'aiguillon et tenant le manche
de sa charrue? Mais quand j'allai porter ma lettre de recom-
mandation à ce grand homme, je retrouvai la simplicité du
5 vieux Romain.

Une petite maison dans le genre anglais, ressemblant aux
maisons voisines, était le palais du Président des États-
Unis: point de gardes, pas même de valets. Je frappai; une
jeune servante ouvrit. Je lui demandai si le général était
10 chez lui; elle me répondit qu'il y était. Je répliquai que j'avais
une lettre à lui remettre. La servante me demanda mon
nom, difficile à prononcer en anglais, et qu'elle ne put retenir. Elle me dit alors doucement: *Walk in, sir*, «Entrez,
monsieur»; et elle marcha devant moi dans un de ces étroits
15 et longs corridors qui servent de vestibule aux maisons
anglaises: elle m'introduisit dans un parloir, où elle me pria
d'attendre le général.

Je n'étais pas ému. La grandeur de l'âme ou celle de la
fortune ne m'imposent point: j'admire la première sans en
20 être écrasé; la seconde m'inspire plus de pitié que de respect.
Visage d'homme ne me troublera [6] jamais.

Au bout de quelques minutes le général entra. C'était un
homme d'une grande taille, d'air calme et froid plutôt que
noble; il est ressemblant [7] dans ses gravures. Je lui présentai
25 ma lettre en silence; il l'ouvrit, courut à la signature, qu'il
lut tout haut avec exclamation: «Le colonel Armand!»
C'était ainsi qu'il appelait et qu'avait signé [8] le marquis de
la Rouairie.

---

conception of Washington as a leader of a real democracy was momentarily
destroyed by seeing him in a carriage drawn by four horses.

[5] **pouvait-il être autre chose qu'un rustre**   *could he have been anything
but a churl.*

[6] **ne me troublera jamais**   *will never disconcert (embarrass) me.*

[7] **il est ressemblant dans ses gravures**   *his pictures are a good likeness of
him.*

[8] **qu'avait signé le marquis de la Rouairie**   *that the marquis de la Rouairie
had signed.* Charles-Armand Tuffin, marquis de la Rouairie, had served in
the Revolutionary War under the name of Colonel Armand.

Nous nous assîmes ; je lui expliquai, tant bien que mal, le motif de mon voyage. Il me répondait par monosyllabes français ou anglais, et m'écoutait avec une sorte d'étonnement. Je m'en aperçus,[9] et je lui dis avec un peu de vivacité : «Mais il est moins difficile de découvrir le passage du 5 nord-ouest que de créer un peuple comme vous l'avez fait.» *Well, well, young man!* s'écria-t-il en me tendant la main. Il m'invita à dîner pour le jour suivant, et nous nous quittâmes.

Je fus exact au rendez-vous : nous n'étions que cinq ou six 10 convives. La conversation roula presque entièrement sur la révolution française. Le général nous montra une clef de la Bastille :[10] ces clefs de la Bastille étaient des jouets assez niais qu'on se distribuait alors dans les deux mondes. Si Washington avait vu, comme moi, dans les ruisseaux de 15 Paris, *les vainqueurs de la Bastille*, il aurait[11] eu moins de foi dans sa relique. Le sérieux et la force de la révolution n'étaient pas dans ces orgies sanglantes. Lors de la révocation de l'édit de Nantes,[12] en 1685, la même populace du faubourg Saint-Antoine démolit le temple[13] protestant à 20 Charenton avec autant de zèle qu'elle dévasta l'église de Saint-Denis en 1793.

Je quittai mon hôte à dix heures du soir, et je ne l'ai jamais revu ; il partit le lendemain pour la campagne et je continuai mon voyage. 25

Telle fut ma rencontre avec cet homme qui a affranchi tout un Monde. Washington est descendu dans la tombe

[9] **Je m'en aperçus**   *I noticed it.*
[10] **la Bastille.**   The Bastille was the famous state prison in Paris. The storming of the Bastille by the Parisian mob, July 14, 1789, is generally regarded as the beginning of the French Revolution. The key referred to in this selection has been preserved and may be seen at Mount Vernon.
[11] **il aurait eu**   *he would have had.*
[12] **l'édit de Nantes.**   This famous edict, granting liberty of conscience to Protestants, was proclaimed by Henri IV in 1598. It was revoked by Louis XIV.
[13] **le temple protestant à Charenton.**   The French call a Protestant church *temple*, a Catholic church *église*. Charenton is a town not far from Paris.

avant qu'un peu de bruit[14] se fût attaché à mes pas ; j'ai
passé devant lui comme l'être le plus inconnu ; il était dans
tout son éclat, et moi dans toute mon obscurité. Mon nom
n'est peut-être pas demeuré un jour entier dans sa mémoire.
5 Heureux pourtant que ses regards soient[15] tombés sur moi !
Je m'en suis senti[16] réchauffé le reste de ma vie : il y a une
vertu dans les regards d'un grand homme. —*Voyage en
Amérique*

PENSÉES DIVERSES

1. Les feux de l'aurore ne sont pas si doux que les premiers regards de la gloire. —Vauvenargues[17]
2. Si vous voulez plaire à un homme d'action, ne lui parlez pas
de ce qu'il a fait, mais de ce qu'il peut faire. —Grasset
3. Pour faire de grandes choses il ne faut pas être au-dessus des
hommes, il faut être avec eux. —Montesquieu[18]

EXERCICES

I. Répondez en français :
1. Combien de temps Chateaubriand fut-il obligé d'attendre
le Président Washington ?
2. Comment Washington est-il arrivé ?
3. A qui Chateaubriand compare-t-il Washington ? Pourquoi ?
4. Est-ce que le Président habitait un grand palais ?
5. Combien de gardes y avait-il autour de sa maison ?
6. Où le Président a-t-il reçu Chateaubriand ?
7. Les gravures de Washington lui ressemblent-elles ?
8. De quoi parlait-on pendant le dîner ?
9. Qu'est-ce que Washington a montré à ses convives ?

[14] **avant qu'un peu de bruit se fût attaché à mes pas** *before I had acquired
a little reputation.*

[15] **soient tombés** *fell.* Render the sentence by *How happy I was . . .!*

[16] **Je m'en suis senti réchauffé** *I have felt warmed thereby.*

[17] **Vauvenargues,** Luc de Clapiers, marquis de (1715–1747), moralist,
author of maxims.

[18] **Montesquieu,** Charles de Secondat, baron de (1688–1755), one of the
great writers of the 18th century, is best known perhaps as a political theorist
whose views greatly influenced the American and French Revolutions.

10. Chateaubriand était-il partisan de la Révolution française?
11. Chateaubriand était-il célèbre lors de sa visite au Président Washington?
12. Quel effet les regards de Washington ont-ils eu sur Chateaubriand?

II. Apprenez par cœur:

| ne ... jamais | lors de | tant bien que mal |
| au bout de | au-dessus de | assez |

III. Traduisez sans regarder le texte ni le vocabulaire:
1. Je le vis passer dans une voiture qu'emportaient quatre chevaux.
2. Pouvait-il être autre chose qu'un rustre?
3. Elle ouvrit. Je lui demandai si le général était chez lui; elle répondit qu'il y était.
4. C'était un homme d'une grande taille.
5. Il est ressemblant dans ses gravures.
6. Je lui expliquai, tant bien que mal, le motif de mon voyage.
7. «*Well, well,*» s'écria-t-il en me tendant la main.
8. [Ses regards]: Je m'en suis senti réchauffé le reste de ma vie.

Jessy

ANATOLE FRANCE

[NOTE: The basic tenses in this story are the imperfect, simple past, and pluperfect.]

Il y avait à Londres, sous le règne d'Élisabeth,[1] un savant
nommé Bog, qui était fort célèbre, sous le nom de Bogus,[2]
pour un traité des *Erreurs humaines*, que personne ne con-
naissait.

5   Bogus, qui y travaillait[3] depuis vingt-cinq ans, n'en avait
encore rien publié; mais son manuscrit, mis au net[4] et rangé
sur des tablettes dans l'embrasure d'une fenêtre, ne comprenait pas moins de dix volumes in-folio. Le premier traitait de l'erreur de naître, principe de toutes les autres. On
10 voyait dans les suivants les erreurs des petits garçons et des
petites filles, des adolescents, des hommes mûrs et des vieil-
lards, et celles des personnages des diverses professions, tels
qu'hommes d'État, marchands, soldats, cuisiniers, publi-
cistes, etc. Les derniers volumes, encore imparfaits, com-
15 prenaient les erreurs de la république,[5] qui résultent de toutes

---

[1] **Élisabeth.**   Queen of England, 1558–1603.

[2] **Bogus.**   It was a common practice at this time for scholars to attach
Latin endings to their names. What does the adjective *bogus* mean?

[3] **y travaillait**   *had been working at it.* The imperfect with **depuis** (*for,
since*) is usually rendered by *had been* + *-ing.*

[4] **mis au net et rangé sur des tablettes**   (*of which he had*) *made a fair copy
and put it on shelves.*

[5] **république**   *state.*

les erreurs individuelles et professionnelles. Et tel était l'enchaînement des idées, dans ce bel ouvrage, qu'on ne pouvait
retrancher une page sans détruire tout le reste. Les démon-
strations sortaient les unes des autres, et il[6] résultait certainement de la dernière que le mal est l'essence de la vie et 5
que, si la vie est une quantité, on peut affirmer avec une
précision mathématique qu'il y a autant de mal que de vie
sur la terre.

Bogus n'avait pas fait l'erreur de se marier. Il vivait dans
sa maisonnette seul avec une vieille gouvernante nommée 10
Kat, c'est-à-dire Catherine et qu'il appelait Clausentina,
parce qu'elle était de Southampton.[7]

La sœur du philosophe, d'un esprit moins transcendant
que celui de son frère, avait, d'erreur en erreur, aimé un
marchand de draps de la Cité, épousé ce marchand et mis 15
au monde une petite fille nommée Jessy.

Sa dernière erreur avait été de mourir après dix ans de
ménage et de causer ainsi la mort du marchand de draps,
qui ne put lui survivre. Bogus recueillit chez lui l'orpheline,
par pitié, et aussi dans l'espoir qu'elle lui fournirait[8] un bon 20
exemplaire des erreurs enfantines.

Elle avait alors six ans. Pendant les huit premiers jours
qu'elle fut chez le docteur, elle pleura et ne dit rien. Le matin
du neuvième, elle dit à Bog :

—J'ai vu maman ; elle était toute blanche ; elle avait des
fleurs dans un pli de sa robe ; elle les a répandues sur mon lit, 25
mais je ne les ai pas retrouvées ce matin. Donne-les-moi,
dis,[9] les fleurs de maman.

Bog nota cette erreur, mais il reconnut, dans le commen-
taire qu'il en fit, que c'était une erreur innocente et en quelque sorte gracieuse. 30

---

[6] **il résultait** *it followed.*
[7] **Clausentina . . . Southampton.** The modern city of Southampton,
England, was partly built on the ruins of the Roman settlement of Clausen-
tum.
[8] **fournirait** *would provide.*
[9] **dis** *please.*

A quelque temps de là, Jessy dit à Bog :

—Oncle Bog, tu es vieux, tu es laid ; mais je t'aime bien et il faut bien m'aimer.

Bog prit sa plume ; mais, reconnaissant après quelque
5 contention[10] d'esprit, qu'il n'avait plus l'air très jeune et qu'il n'avait jamais été très beau, il ne nota pas la parole de l'enfant. Seulement il dit :

—Pourquoi faut-il t'aimer, Jessy?

—Parce que je suis petite.

10 Est-il vrai, se demanda Bog, est-il vrai qu'il faille[11] aimer les petits? Il se pourrait ;[12] car, dans le fait, ils ont grand besoin qu'on les aime. Par là[13] s'excuserait la commune erreur des mères qui donnent à leurs petits enfants leur lait et leur amour. C'est un chapitre de mon traité qu'il va fal-
15 loir reprendre.

Le matin de sa fête, le docteur, en entrant dans la salle où étaient ses livres et ses papiers et qu'il nommait sa librairie,[14] sentit une bonne odeur et vit un pot d'œillets sur le rebord de sa fenêtre.

20 C'était trois fleurs, mais trois fleurs écarlates que la lumière caressait joyeusement. Et tout riait dans la docte salle ; le vieux fauteuil de tapisserie, la table de noyer ; les dos antiques des bouquins riaient dans leur veau fauve, dans leur parchemin et dans leur peau de truie. Bogus, desséché
25 comme eux, se mit comme eux à sourire. Jessy lui dit en l'embrassant :

—Vois, oncle Bog, vois : ici, c'est le ciel (et elle montrait, à travers les vitres lamées de plomb, le bleu léger de l'air) ; puis, plus bas, c'est la terre, la terre fleurie (et elle montrait
30 le pot d'œillets) ; puis, au-dessous, les gros livres noirs, c'est l'enfer.

Ces gros livres noirs étaient précisément les dix tomes du

---

[10] **contention d'esprit**　*hard thinking.*
[11] **qu'il faille**　*that one must.*
[12] **il se pourrait**　*it might be possible.*
[13] **Par là s'excuserait**　*That would explain* (*In that way one could explain*).
[14] **librairie**　*library* (an old word for **bibliothèque**).

traité des *Erreurs humaines,* rangés sous la fenêtre, dans
l'embrasure. Cette erreur de Jessy rappela au docteur son
œuvre, qu'il négligeait depuis quelque temps pour se
promener dans les rues et dans les parcs avec sa nièce. L'enfant découvrait mille choses aimables et les faisait[15] dé- 5
couvrir en même temps à Bogus, qui n'avait guère de[16] sa
vie mis le nez dehors. Il rouvrit ses manuscrits, mais il ne se
reconnut[17] plus dans son ouvrage, où il n'y avait ni fleurs ni
Jessy.

Par bonheur, la philosophie lui vint en aide en lui sug- 10
gérant cette idée transcendante que Jessy n'était bonne à
rien. Il s'attacha[18] d'autant plus solidement à cette vérité,
qu'elle était nécessaire à l'économie de son œuvre.

Un jour qu'il méditait sur ce sujet, il trouva Jessy qui,
dans la librairie, enfilait une aiguille devant la fenêtre où 15
étaient les œillets. Il lui demanda ce qu'elle voulait coudre.

Jessy lui répondit :

—Tu ne sais donc pas, oncle Bog, que les hirondelles sont
parties.

Bogus n'en savait rien ; la chose n'étant ni dans Pline,[19] 20
ni dans Avicenne. Jessy continua :

—C'est Kat qui m'a dit hier . . .

—Kat? s'écria Bogus, cet enfant veut parler de la respectable Clausentina !

—Kat m'a dit hier : «Les hirondelles sont parties cette 25
année plus tôt que de coutume ; cela nous présage un hiver
précoce et rigoureux.» Voilà ce que m'a dit Kat. Et puis j'ai
vu maman en robe blanche, avec une clarté dans les cheveux ; seulement elle n'avait pas de fleurs comme l'autre fois.

[15] **les faisait découvrir . . . à Bogus**   *made Bogus discover them.*

[16] **de sa vie**   *in his life.*

[17] **il ne se reconnut plus dans son ouvrage**   *he could no longer recognize his
own work.*

[18] **Il s'attacha . . . son œuvre**   *He clung all the more firmly to this idea because it was necessary to the harmonious arrangement of his work.* **D'autant
plus . . . que** (*all the more . . . because*) is a common idiom.

[19] **Pline . . . Avicenne.**   Pliny the Elder (ca. 23–79 A.D.) was a famous
Roman naturalist. Avicenne (979–1037) was an outstanding Arabian philosopher and physician.

Elle m'a dit : «Jessy, il faudra[20] tirer du coffre la houppelande fourrée de l'oncle Bog et la réparer si elle est en
mauvais état.» Je me suis éveillée et, sitôt[21] levée, j'ai tiré
la houppelande du coffre; et, comme elle a craqué en plu-
5 sieurs endroits, je vais la recoudre.

L'hiver vint et fut tel que l'avaient prédit les hirondelles.
Bogus, dans sa houppelande, les pieds au feu, cherchait à
raccommoder certains chapitres de son traité. Mais, à chaque
fois qu'il parvenait à concilier ses nouvelles expériences avec
10 la théorie du mal universel, Jessy brouillait ses idées en lui
apportant un pot de bonne ale, ou seulement en montrant
ses yeux et son sourire.

Quand revint l'été, ils firent, l'oncle et la nièce, des
promenades dans les champs. Jessy en rapportait des
15 herbes qu'il lui nommait et qu'elle classait, le soir, selon leurs
propriétés. Elle montrait, dans ces promenades, un esprit[22]
juste et une âme charmante. Or, un soir, comme elle étalait
sur la table les herbes cueillies dans le jour, elle dit à Bogus :

—Maintenant, oncle Bog, je connais par leur nom toutes
20 les plantes que tu m'as montrées. Voici celles qui guérissent
et celles qui consolent. Je veux les garder, pour les reconnaître toujours et les faire[23] connaître à d'autres. Il me
faudrait[24] un gros livre pour les sécher dedans.

—Prends celui-ci, dit Bog.

25 Et il lui montra le tome premier du traité des *Erreurs
humaines*.

Quand le volume eut une plante à chaque feuillet, on prit
le suivant, et, en trois étés, le chef-d'œuvre du docteur fut
complètement changé en herbier. —*Le Livre de Suzanne*

---

[20] **il faudra**   *it will be necessary (you must)*.
[21] **sitôt levée = sitôt que je me suis levée**   *as soon as I got up*. Abbreviations of this nature are rather common in French.
[22] **un esprit juste**   *an accurate mind*.
[23] **les faire connaître à d'autres**   *to make them known to others*.
[24] **Il me faudrait**   *I would need*.

PENSÉES DIVERSES

1. Les systèmes [de philosophie] construits par les sages ne sont que des contes imaginés pour amuser l'éternelle enfance des hommes. —Anatole France
2. Les besoins de l'âme sont : connaître, aimer et chanter— lumière, amour, harmonie. —Vigny
3. On se persuade mieux, pour l'ordinaire, par les raisons qu'on a soi-même trouvées que par celles qui sont venues dans l'esprit des autres. —Pascal
4. Les grands écrivains n'ont jamais été faits pour subir la loi des grammariens, mais pour imposer la leur, et non pas seulement leur volonté mais leur caprice. —Claudel

EXERCICES

I. Répondez en français :
  1. Pourquoi Bogus était-il célèbre?
  2. De quoi traitait le premier volume des *Erreurs humaines*?
  3. Que comprenaient les derniers volumes?
  4. Le docteur Bogus était-il marié?
  5. Pourquoi Bogus recueillit-il Jessy chez lui?
  6. Quel âge avait Jessy?
  7. Le docteur Bogus était-il beau?
  8. Jessy veut être aimée. Pourquoi faut-il l'aimer?
  9. Qu'est-ce que le docteur a vu sur le rebord de sa fenêtre le jour de sa fête?
  10. Pourquoi Bogus négligeait-il son travail depuis quelque temps?
  11. Sortait-il souvent avant de recueillir Jessy chez lui?
  12. Pourquoi le docteur ne savait-il pas que les hirondelles étaient parties?
  13. Comment Jessy brouillait-elle ses idées concernant sa théorie du mal universel?
  14. Racontez comment le traité des *Erreurs humaines* a été changé en herbier.

II. Apprenez par cœur :

or	pendant	d'autant plus . . . que
par là	se mettre à	tôt
ne . . . guère	par bonheur	faire (+infinitive)

III. Traduisez sans regarder le texte ni le vocabulaire :
1. Il y avait à Londres un savant qui était fort célèbre.
2. [Son traité]: Il y travaillait depuis vingt-cinq ans.
3. Il n'en avait encore rien publié.
4. Il recueillit chez lui l'orpheline par pitié.
5. Elle avait alors six ans.
6. Il reconnut que c'était une erreur innocente et en quelque sorte gracieuse.
7. A quelque temps de là elle lui dit : «Je t'aime bien et il faut bien m'aimer.»
8. Il négligeait son œuvre depuis quelque temps.
9. Il n'avait guère de sa vie mis le nez dehors.
10. Les hirondelles sont parties cette année plus tôt que de coutume.
11. Le docteur n'en savait rien.
12. Je veux les garder pour les faire connaître à d'autres.

Deux lettres
de Voltaire[1]

[NOTE: Beginning with these selections, no notes will
be given on the future and conditional as such.]

I. LES BELLES LETTRES

A M. Jean-Jacques Rousseau, à Paris

30 août 1755

J'ai reçu, monsieur, votre nouveau livre[2] contre le genre
humain, je vous en remercie. Vous plairez aux hommes, à
qui vous dites leurs vérités, mais vous ne les corrigerez pas.
On ne peut peindre avec des couleurs plus fortes les hor-
reurs de la société humaine, dont[3] notre ignorance et notre 5
faiblesse se promettent tant de consolations. On n'a jamais

---

[1] **Voltaire** (pen name of **François-Marie Arouet**) (1694–1778) was the outstanding literary figure of the 18th century, having written 27 tragedies,
many stories and pamphlets, several kinds of poetry and history, and more
than 12,000 letters. One can disagree with Voltaire on many things but not
on the merits of his prose.

[2] **votre nouveau livre** *Discours sur l'origine de l'inégalité parmi les
hommes* (1755), in which Rousseau argues that uncivilized life is the hap-
piest. In this letter Voltaire is also replying to an earlier publication, *Discours sur les sciences et les arts* (1750), in which Rousseau tries to show the
evil effects of science and the arts.

[3] **dont . . . se promettent** *from which . . . expect.*

employé tant d'esprit à vouloir nous rendre bêtes ; il [4] prend
envie de marcher à quatre pattes quand on lit votre ouvrage.
Cependant, comme il y a plus de soixante ans que j'en ai
perdu l'habitude, je sens malheureusement qu'il m'est im-
5 possible de la reprendre, et je laisse cette allure naturelle à
ceux qui en sont plus dignes que vous et moi. Je ne peux non
plus [5] m'embarquer pour aller trouver les sauvages du
Canada ; premièrement, parce que les maladies dont je suis
accablé me retiennent auprès du plus grand médecin de
10 l'Europe, [6] et que je ne trouverais pas les mêmes secours chez
les Missouris ; secondement, parce que la guerre est portée
dans ce pays-là et que les exemples de nos nations ont rendu
les sauvages presque aussi méchants que nous. Je me borne
à être un sauvage paisible dans la solitude que j'ai choisie
15 auprès de votre patrie, [7] où vous devriez être.

Je conviens avec vous que les belles-lettres et les sciences
ont causé quelquefois beaucoup de mal. Les ennemis du
Tasse [8] firent de sa vie un tissu de malheurs ; ceux de
Galilée [9] le firent gémir dans les prisons, à soixante et dix ans,
20 pour avoir connu le mouvement de la terre ; et ce qu'il y a de
plus honteux, c'est qu'ils l'obligèrent à se rétracter. . . .

Si j'osais me compter parmi ceux dont les travaux n'ont
eu que la persécution pour récompense, je vous ferais [10] voir
des gens acharnés à me perdre du jour que je donnai la
25 tragédie d'*Œdipe* : [11] une bibliothèque de calomnies ridicules
imprimées contre moi . . .

---

[4] **il prend envie de marcher à quatre pattes**   *one feels like walking on all fours.*

[5] **non plus**   *either.*

[6] **Dr. Tronchin,** Voltaire's Swiss physician.

[7] **votre patrie, où vous devriez être**   *your birthplace, where you ought to be.*
When he wrote this letter, Voltaire was living at les **Délices,** near Geneva,
Rousseau's birthplace.

[8] **Tasse**   *Tasso* (1544–1595), Italian epic poet. What Voltaire is saying
about Tasso's troubles is exaggerated, for many of this poet's troubles were
imaginary. (Why *du* Tasse? Italians use the definite article with the last
name of distinguished people.)

[9] **Galilée**   *Galileo* (1564–1642), Italian physicist and astronomer.

[10] **je vous ferais voir**   *I would show you.*

[11] A classical tragedy—Voltaire's first success (1718).

Avouez en effet, monsieur, que ce sont là de ces petits malheurs particuliers[12] dont à peine la société s'aperçoit. Qu'importe[13] au genre humain que quelques frelons pillent le miel
de quelques abeilles? Les gens de lettres font grand bruit de
toutes ces petites querelles, le reste du monde ou[14] les 5
ignore ou en rit.

De toutes les amertumes répandues sur la vie humaine, ce
sont là les moins funestes. Les épines attachées à la littérature et à un peu de réputation ne sont que des fleurs en com-
paraison des autres maux qui, de tout temps, ont inondé la 10
terre . . . .

Les grands crimes n'ont guère[15] été commis que par de
célèbres ignorants. Ce qui fait et fera toujours de ce monde
une vallée de larmes, c'est l'insatiable cupidité et l'indomptable orgueil des hommes, depuis Thamas Kouli-kan[16] qui ne 15
savait pas lire jusqu'à un commis de la douane, qui ne sait
que chiffrer. Les lettres nourrissent l'âme, la rectifient, la
consolent; elles vous servent, monsieur, dans le temps que
vous écrivez contre elles: vous êtes comme Achille,[17] qui
s'emporte contre la gloire, et comme le père Malebranche,[18] 20
dont l'imagination brillante écrivait contre l'imagination.

Si quelqu'un doit se plaindre des lettres, c'est moi, puisque, dans tous les temps et dans tous les lieux, elles ont servi
à me persécuter; mais il faut les aimer, malgré l'abus qu'on
en fait, comme il faut aimer la société dont tant d'hommes 25
méchants corrompent les douceurs; comme il faut aimer sa
patrie, quelques[19] injustices qu'on y essuie; comme il faut

---

[12] **particuliers** *private.*

[13] **Qu'importe au genre humain . . .?** *What difference does it make to mankind . . .?*

[14] **ou les ignore ou en rit** *either is unaware of them or laughs at them.*

[15] **n'ont guère été commis que** *have rarely been committed except.*

[16] A cruel Persian usurper of the 18th century known also as Nadir Shah.

[17] **Achille, qui s'emporte contre la gloire** *Achilles, who inveighs against
glory.* In the *Iliad,* when his captive maiden was taken away from him by
Agamemnon, Achilles sulked in his tent.

[18] **le père Malebranche** *Father Malebranche,* French Protestant theo-
logian and metaphysician (1638–1715).

[19] **quelques injustices qu'on y essuie** *whatever injustices one may endure
in it.*

aimer et servir l'Être suprême, malgré les superstitions et le
fanatisme qui déshonorent si souvent son culte.

M. Chappuis m'apprend que votre santé est bien mauvaise; il faudrait[20] la venir rétablir dans l'air natal, jouir de
5 la liberté, boire avec moi du lait de nos vaches, et brouter[21]
nos herbes.

Je suis très philosophiquement et avec la plus tendre
estime, etc.—*Correspondance*

2. LA LECTURE DES BONS OUVRAGES

A Mademoiselle * * *
Aux Délices, près de Genève
20 juin 1756

Je ne suis, mademoiselle, qu'un vieux malade, et il faut
10 que mon état soit[22] bien douloureux, puisque je n'ai pu
répondre plus tôt à la lettre dont vous m'honorez, et que[23]
je ne vous envoie que de la prose pour vos jolis vers. Vous
me demandez des conseils, il ne vous en faut[24] point d'autre
que votre goût. L'étude que vous avez faite de la langue
15 italienne doit encore fortifier ce goût avec lequel vous êtes
née, et que personne ne peut donner. Le Tasse et l'Arioste[25]
vous rendront plus de services que moi, et la lecture de nos
meilleurs poètes vaut mieux que toutes les leçons; mais,
puisque vous daignez de si loin me consulter, je vous invite
20 à ne lire que les ouvrages qui sont depuis longtemps en possession des suffrages du public, et dont la réputation n'est
point équivoque. Il y en a peu, mais on profite bien davantage en les lisant, qu'avec tous les mauvais petits livres dont
nous sommes inondés. Les bons auteurs n'ont de l'esprit[26]

[20] **il faudrait la venir rétablir** *you should come and build it up.*

[21] **brouter nos herbes** *to browse on our grass.* Note the sly "dig" at Rousseau. In his *Discours sur l'origine de l'inégalité* Rousseau argues that man is
happy in the state of nature.

[22] **il faut que mon état soit** *my condition must be.*

[23] **que = puisque.** See p. 30, n. 11.

[24] **il ne vous en faut point d'autre que votre goût** *you don't need any other
at all but your own good taste.*

[25] **Arioste** *Ariosto,* Italian epic and lyric poet (1474–1533).

[26] **n'ont de l'esprit qu'autant qu'il en faut** *have just the right amount of wit.*

qu'autant qu'il en faut, ne le recherchent jamais, pensent
avec bon sens, et s'expriment avec clarté. Il semble qu'on
n'écrive [27] plus qu'en énigmes. Rien n'est simple, tout est
affecté; on s'éloigne en tout de la nature, on a le malheur de
vouloir mieux faire que nos maîtres. 5
Tenez-vous-en, mademoiselle, à tout ce qui plaît en eux.
La moindre affectation est un vice. Les Italiens n'ont
dégénéré, après le Tasse et l'Arioste, que parce qu'ils ont
voulu avoir trop d'esprit; et les Français sont dans le même
cas. Voyez avec quel naturel Mme de Sévigné [28] et d'autres 10
dames écrivent; comparez ce style avec les phrases entor-
tillées de nos petits romans; je vous cite les héroïnes de
votre sexe, parce que vous me paraissez faite pour leur ressembler. Il y a des pièces de Mme Deshoulières [29] qu'aucun
auteur de nos jours ne pourrait égaler. Si vous voulez que je 15
vous cite des hommes, voyez avec quelle clarté, quelle
simplicité notre Racine [30] s'exprime toujours. Chacun croit,
en le lisant, qu'il dirait en prose tout ce que Racine a dit en
vers. Croyez que tout ce qui ne sera pas aussi clair, aussi
simple, aussi élégant, ne vaudra rien du tout. 20
Vos réflexions, mademoiselle, vous en apprendront [31] cent
fois plus que je ne pourrais vous en dire. Vous verrez que
nos bons écrivains, Fénelon, Bossuet, [32] Racine, Despréaux, [33]
employaient toujours le mot propre. On s'accoutume à bien
parler, en lisant souvent ceux qui ont bien écrit; on se fait 25
une habitude d'exprimer simplement et noblement sa pensée sans effort. Ce n'est point une étude; il n'en coûte
aucune peine de lire ce qui est bon, et de ne lire que cela; on
n'a de maître que son plaisir et son goût.

---

[27] **Il semble qu'on n'écrive plus qu'en énigmes** *It seems that people don't write anymore except in enigmas (riddles).*

[28] **Mme de Sévigné** (1626–1696) was famous for her *Lettres.*

[29] **Mme Deshoulières** (1638–1694) was known for her pastoral poems.

[30] **Racine, Jean** (1639–1699), France's greatest tragic poet.

[31] **vous en apprendront** *will tell you about it.*

[32] **Bossuet,** Jacques Bénigne (1627–1704), the most eloquent of pulpit orators and a great writer.

[33] **Despréaux** was better known under his pen name of **Boileau.** See p. 22, n. 18.

Pardonnez, mademoiselle, à ces longues réflexions : ne les *only*
attribuez qu'à mon obéissance à vos ordres.

J'ai l'honneur d'être avec respect, etc.—*Correspondance*

PENSÉES DIVERSES

1. Je crois que six ou sept ans de culture littéraire donnent à
l'esprit bien préparé pour la recevoir une noblesse, une force
élégante, une beauté qu'on n'obtient point par d'autres
moyens. —Anatole France

2. Quand une lecture vous élève l'esprit, et qu'elle vous inspire
des sentiments nobles et courageux, ne cherchez pas une autre
règle pour juger de l'ouvrage ; il est bon, et fait de main
d'ouvrier.[34] —La Bruyère

3. Question qui n'est pas aussi ridicule qu'elle le paraîtra : Peut-
on avoir le goût pur quand on a le cœur corrompu ? —Diderot[35]

EXERCICES

I. Répondez en français :
1. Quel livre Rousseau a-t-il envoyé à Voltaire? *against mankind*
2. Que peint-il dans ce livre? *horrors of the human society.*
3. Quelle habitude Voltaire a-t-il perdue? *walking on all fours*
4. Pourquoi Voltaire ne peut-il pas aller au Canada? *he was susceptible to many maladies*
5. Où est né Rousseau?
6. Qu'est-ce que les belles-lettres et les sciences ont causé
quelquefois? *a lot of trouble.*
7. Quel a été le premier succès littéraire de Voltaire? *Classical tragedy œdipe*
8. Est-ce que le genre humain s'intéresse aux querelles lit-
téraires?
9. Par qui les grands crimes ont-ils été commis? *famous ignoran*
10. Qu'est-ce qui fait de ce monde une vallée de larmes?
11. Quelle est l'importance des belles-lettres? *nourish + rectify mind* *country*
12. Où demeurait Rousseau lors de la lettre de Voltaire? *mind*
13. Pourquoi Voltaire n'a-t-il pu répondre plus tôt à la lettre *W ↓ Eng.*
de Mademoiselle * * * ?

[34] **ouvrier** *skillful worker.*
[35] **Diderot**, Denis (1713–1784), writer on almost any topic, founder of art
criticism, and editor-in-chief of the revolutionary 18th-century *Encyclo-
pédie.*

14. Pourquoi Mademoiselle * * * avait-elle écrit à Voltaire?
15. Qu'est-ce qu'elle a étudié?
16. Quels ouvrages Voltaire lui conseille-t-il de lire?
17. Les bons auteurs ont-ils trop d'esprit?
18. Comment s'expriment-ils?
19. Pourquoi les Italiens ont-ils dégénéré après le Tasse et l'Arioste?
20. Pourquoi Mme de Sévigné est-elle célèbre?
21. Qui est Racine?
22. Comment s'exprime-t-il?
23. Nommez quelques bons écrivains français du dix-septième siècle.
24. A quoi s'accoutume-t-on en lisant souvent ceux qui ont bien écrit?

II. Apprenez par cœur :

non plus	valoir mieux	faire voir
contre	à peine	qu'importe?
puisque	loin	

III. Traduisez sans regarder le texte ni le vocabulaire :
1. J'ai reçu votre livre; je vous en remercie.
2. On n'a jamais employé tant d'esprit à vouloir nous rendre bêtes.
3. Il y a plus de soixante ans que j'en ai perdu l'habitude.
4. Je ne peux non plus m'embarquer pour aller au Canada.
5. Avouez en effet que ce sont là de ces malheurs particuliers dont à peine la société s'aperçoit.
6. Qu'importe au genre humain si quelques frelons pillent le miel de quelques abeilles?
7. Le reste du monde ou les ignore ou en rit.
8. Les grands crimes n'ont guère été commis que par de célèbres ignorants.
9. Il m'apprend que votre santé est bien mauvaise; il faudrait la venir rétablir ici.
10. Vous me demandez des conseils, ils ne vous en faut point d'autre que votre goût.
11. La lecture de nos meilleurs poètes vaut mieux que toutes les leçons.
12. Je vous invite à ne lire que les ouvrages qui sont depuis longtemps en possession des suffrages du public.

13. On profite bien davantage.
14. On s'accoutume à bien parler en lisant souvent ceux qui
    ont bien écrit.
15. On se fait une habitude d'exprimer sa pensée sans effort.

IV. Révisez ces faux amis :

introduire	envie
regards	davantage
convenir	ignorer
particulier	propre

Maximes

LA ROCHEFOUCAULD

1. L'amour-propre est le plus grand de tous les flatteurs.
2. Si nous n'avions pas d'orgueil, nous ne nous plaindrions pas de celui des autres.
3. Ceux qui s'appliquent trop aux petites choses deviennent ordinairement incapables des grandes.
4. Nous n'avons pas assez de force pour suivre toute notre raison.
5. La force et la faiblesse de l'esprit sont mal nommées, elles ne sont en effet que la bonne ou la mauvaise disposition des organes du corps.
6. Si on juge l'amour par la plupart de ses effets,[1] il ressemble plus à la haine qu'à l'amitié.
7. Il en[2] est du véritable amour comme de l'apparition des esprits; tout le monde en parle mais peu de gens en ont vu.
8. Nous nous persuadons souvent d'aimer les gens plus puissants que nous, et néanmoins c'est l'intérêt[3] seul qui produit notre amitié; nous ne nous donnons pas à eux pour le bien que nous leur voulons faire, mais pour celui que nous voulons en recevoir.

[1] **effets** *results.*
[2] **Il en est du véritable amour comme de** *It is with true love as with.*
[3] **intérêt** *self-interest.*

9. Tout le monde se plaint de sa mémoire, et personne ne se plaint de son jugement.

10. L'esprit est toujours la dupe du cœur.

11. Les hommes ne vivraient pas longtemps en société s'ils n'étaient pas les dupes les uns des autres.

12. On ne donne rien si libéralement que[4] ses conseils.

13. Nous sommes si accoutumés à nous déguiser aux autres, qu'à la fin nous nous déguisons à nous-mêmes.

14. Le vrai moyen d'être trompé, c'est de se croire plus fin[5] que les autres.

15. On n'est jamais si ridicule par les qualités que l'on a que par celles que l'on affecte d'avoir.

16. Comme c'est le caractère des grands esprits de faire[6] entendre en peu de paroles beaucoup de choses, les petits esprits, au contraire, ont le don de beaucoup parler et de ne rien dire.

17. On ne loue d'ordinaire que pour être loué.

18. Le refus de la louange est un désir d'être loué deux fois.

19. Les vertus se perdent dans l'intérêt, comme les fleuves se perdent dans la mer.[7]

20. Nous oublions aisément nos fautes, lorsqu'elles ne sont sues[8] que de nous.

21. Le désir de paraître habile empêche souvent de le devenir.

22. L'hypocrisie est un hommage que le vice rend à la vertu.

23. La véritable éloquence consiste à dire tout ce qu'il faut, et à ne dire que ce qu'il faut.

24. L'intérêt met en œuvre toutes sortes de vertus et de vices.

25. Ce qu'on nomme libéralité n'est le plus souvent que la vanité de donner, que nous aimons mieux que ce que nous donnons.

---

[4] **que** *as.*
[5] **fin** *clever.*
[6] **faire entendre** *express.*
[7] This maxim is generally considered a key to the author's philosophy.
[8] **ne sont sues que de nous** *are known only to ourselves* (literally, . . . *by us*).

26. La reconnaissance, dans la plupart des hommes, n'est qu'une forte et secrète envie de recevoir de plus grands bienfaits.

27. Quelque[9] bien qu'on nous dise de nous, on ne nous apprend rien de nouveau.

28. Nous pardonnons souvent à ceux qui nous ennuient; mais nous ne pouvons pardonner à ceux que nous ennuyons.

29. On ne trouve guère d'ingrats, tant qu'on est en état de faire du bien.

30. Nous n'avouons de petits défauts que pour persuader que nous n'en avons pas de grands.

31. On croit quelquefois haïr la flatterie; mais on ne hait que la manière de flatter.

32. Nous ne trouvons guère de gens de bon sens que[10] ceux qui sont de notre avis.

33. Nous ne louons d'ordinaire de bon cœur que ceux qui nous admirent.

34. La plupart des jeunes gens croient être naturels, lorsqu'ils ne sont que mal polis et grossiers.

35. Ce qui nous[11] rend la vanité des autres insupportable, c'est qu'elle blesse la nôtre.

36. Nous aurions souvent honte de nos plus belles actions si le monde voyait les motifs qui les produisent.

37. Nous pardonnons aisément à nos amis les défauts qui ne nous regardent[12] pas.

38. Rien n'empêche tant d'être naturel que l'envie de le paraître.

39. Nous essayons de nous faire honneur des défauts que nous ne voulons pas corriger.

40. L'envie d'être plaint ou d'être admiré fait souvent la plus grande partie de notre confiance.

---

[9] **Quelque bien qu'on nous dise de nous** *Whatever good one may say of us to us.*

[10] **que** *except.*

[11] **nous** *to us.* In translation, this may be omitted.

[12] **regardent** *concern.*

41. On est d'ordinaire plus médisant par vanité que par malice.
42. Les querelles ne dureraient pas longtemps si le tort n'était que d'un côté.

PENSÉES DIVERSES

1. Tout homme sait que les autres se trompent en le jugeant, mais non qu'il se trompe en jugeant les autres. —Maurois
2. Il y a plus de fous que de sages, et dans le sage même,[13] il y a plus de folie que de sagesse. —Chamfort[14]
3. Toutes les feuilles sont gâtées, tous les arbres sont malades, mais la forêt est magnifique. —Duhamel[15]

EXERCICES

W
Eng.

I. Répondez en français :
1. Quel est le plus grand de tous les flatteurs? (Maxime 1)
2. A quoi l'amour ressemble-t-il? (Maxime 6)
3. Qu'est-ce qui produit notre amitié pour les gens plus puissants que nous? (Maxime 8)
4. Quel est le vrai moyen d'être trompé? (Maxime 14)
5. Pourquoi loue-t-on d'ordinaire? (Maxime 17)
6. Où se perdent les vertus? (Maxime 19)
— 7. Qu'est-ce qui se cache sous le nom de libéralité? (Maxime 25)
8. Pourquoi avouons-nous de petits défauts? (Maxime 30)
9. Qui sont les gens de bon sens? (Maxime 32)
10. Qu'est-ce qui nous rend la vanité des autres insupportable? (Maxime 35)
11. Pourquoi les querelles durent-elles longtemps? (Maxime 42)

II. Apprenez par cœur :

il en est de	quelquefois
néanmoins	avoir honte
se plaindre de	se tromper
même (after a noun)	

[13] **le sage même** *the very sage, the sage himself.* After a noun même usually means *very.*

[14] **Chamfort**, Nicolas-Sébastien (1741–1794), moralist, author of *Pensées.*

[15] **Duhamel**, Georges (1884—), physician and outstanding writer, best known as a novelist.

III. Traduisez sans regarder le texte ni le vocabulaire:
1. Ceux qui s'appliquent trop aux petites choses deviennent ordinairement incapables des grandes.
2. [Le véritable amour]: Tout le monde en parle mais peu de gens en ont vu.
3. Personne ne se plaint de son jugement.
4. Nous ne trouvons guère de gens de bon sens que ceux qui sont de notre avis.
5. Nous leur pardonnons les défauts qui ne nous regardent pas.
6. Rien n'empêche tant d'être naturel que l'envie de le paraître.
7. Tout homme sait que les autres se trompent en le jugeant.

En lisant La Rochefoucauld

FAGUET[1]

Nous lisons un simple moraliste,[2] La Rochefoucauld par
exemple. Nous nous apercevons qu'il ne croit à aucune
vertu. Cela peut nous révolter. Cela peut aussi nous paraître
très facile à réfuter par une donnée[3] immédiate de la con-
5 science . . . mais, à nous en tenir[4] là, nous sommes encore
loin de notre auteur, nous nous tenons à distance de lui, nous
n'entrons pas dans son intimité; tranchons[5] le mot, nous ne
le lisons pas. Approchons-nous,[6] voyons de plus près. Que
voyons-nous peu à peu? Qu'il y a des nuances et que très
10 souvent La Rochefoucauld dit: «toujours», mais qu'assez
souvent aussi il dit: «quelquefois»; qu'il est beaucoup moins
tranchant au fond qu'il ne[7] paraît l'être au premier regard;
qu'il ne faut pas le voir comme un bloc. Il y a plus; nous
nous apercevrons bientôt, rien[8] qu'en faisant mentalement
15 une petite liste des vertus humaines, qu'il y a des vertus
dont il ne parle pas et par conséquent des vertus qu'il ne nie

---

[1] **Faguet**, Émile (1847–1916), distinguished literary critic.

[2] The author is discussing "Les Livres d'idées," a chapter in a book en-
titled *L'Art de lire.*

[3] **par une donnée immédiate de la conscience** *by direct resort to one's
innerself* (literally, *by a direct datum of the conscience*).

[4] **à nous en tenir là** *if we stop at that, if we are satisfied with that.*

[5] **tranchons le mot** *let's be frank about it.*

[6] **Approchons-nous, voyons de plus près** *Let's get closer, let's look more
closely.*

[7] **moins tranchant au fond qu'il ne paraît l'être** *less cutting on close examination than he seems to be.* Note again the redundant **ne** before a conjugated
verb, in comparisons.

[8] **rien qu'en faisant** *merely by making.*

70

point. Il ne nie point l'amour paternel, l'amour maternel; et c'est probablement qu'il reconnaît qu'ils existent et à l'état pur. S'il dit: «si l'on croit que c'est par amour pour elle que l'on aime une femme, on est bien trompé», il ne dit point: «si une mère croit que c'est par amour pour lui qu'elle aime 5 son enfant, elle se trompe». Il n'a pas poussé jusque-là son scepticisme. Son scepticisme a donc des bornes. Eh bien! traçons-les et, en délimitant la pensée de notre auteur, nous l'aurons mieux compris; nous l'aurons compris. Lire un philosophe, c'est le relire si attentivement qu'on l'ana- 10 lyse ....

On ne connaît sans doute quelqu'un que quand on sait ce qu'il est et aussi ce qu'il pouvait être.

En revenant encore à M. le duc, que voyons-nous qu'il affirme toujours? Que l'égoïsme, l'intérêt, l'amour-propre, 15 comme il dit, est le fond[9] de tous nos sentiments et le mobile de toutes nos actions. Vous réfléchissez là-dessus et vous vous dites: «Mais ... plût[10] à Dieu! Dire que nous agissons toujours en vue[11] de notre intérêt, c'est dire que nous n'agissons jamais par bonté, mais c'est dire aussi que 20 nous n'agissons jamais par méchanceté, que l'homme ne fait jamais le mal pour le plaisir de faire le mal, qu'en un mot la méchanceté n'existe pas! Mais alors, quelle idée favorable La Rochefoucauld se fait[12] de la nature humaine! Comme[13] il se trompe en sa faveur! Quel optimiste que[14] ce La 25 Rochefoucauld! Comme je me trompais sur ce La Rouche-foucauld!» —Il y a du vrai, beaucoup de vrai. La Roche-foucauld a été sévère pour nous, mais aussi il a été chari-table. Notre plus grand défaut, il ne l'a pas vu ou il n'a point voulu le voir. De la part[15] d'un homme si sagace, c'est une 30 merveilleuse indulgence. —*L'Art de lire*

[9] **fond** *fundamental trait.*
[10] **plût à Dieu!** *would to Heaven!*
[11] **en vue de notre intérêt** *out of self-interest.* What does it say, literally?
[12] **se fait** *has (makes for himself).*
[13] **Comme.** When it introduces an exclamation, **comme** usually means *how.*
[14] **que**: In exclamations of this nature **que** replaces the verb, for emphasis: **Quelle belle ville que Paris!** *What a beautiful city Paris is!*
[15] **De la part d'** *from, on the part of.*

PENSÉES DIVERSES

1. Il est aisé de critiquer un auteur, mais il est difficile de l'apprécier. —Vauvenargues
2. L'art de lire, c'est l'art de penser avec un peu d'aide. —Faguet
3. Le critique n'est qu'un homme qui sait lire et qui apprend à lire aux autres. —Sainte-Beuve[16]
4. Bien écrire, c'est tout à la fois[17] bien penser, bien sentir et bien rendre. —Buffon[18]

EXERCICES

I. Répondez en français :
   1. Expliquez en français le sens de l'expression *à nous en tenir là.*
   2. Qu'est-ce que La Rochfoucauld dit très souvent?
   3. Que dit-il assez souvent aussi?
   4. Est-ce qu'il nie toutes les vertus?
   5. Croit-il à l'amour maternel?
   6. Son scepticisme est-il sans bornes?
   7. Selon La Rochefoucauld quel est le mobile de toutes nos actions?
   8. Est-ce qu'il croit que l'homme fait le mal pour le plaisir de faire mal?
   9. La Rochefoucauld a-t-il été sévère ou indulgent pour nous?
   10. Qu'est-ce qu'un critique selon Sainte-Beuve?

II. Apprenez par cœur :

peu à peu	**quelqu'un**	**de la part de**
rien que	**comme . . .!**	**à la fois**
par conséquent	**eh bien**	**de près**
là-dessus		

III. Traduisez sans regarder le texte ni le vocabulaire :
   1. A nous en tenir là, nous sommes encore très loin de notre auteur.
   2. Tranchons le mot, nous ne le lisons pas.

[16] **Sainte-Beuve,** Charles-Augustin (1804–1869), eminent literary critic and man of letters.
[17] **tout à la fois** *all at once, at the same time.*
[18] **Buffon,** Charles-Louis Leclerc, comte de (1707–1788), naturalist and writer.

3. Il est beaucoup moins tranchant qu'il ne paraît être au premier regard.
4. Il ne faut pas le lire comme un bloc.
5. Rien qu'en faisant cela, nous nous apercevrons qu'il y a des vertus dont il ne parle pas.
6. L'amour-propre est le fond de tous nos sentiments.
7. Quelle idée favorable il se fait de la nature humaine!
8. Comme je me trompais sur ce La Rochefoucauld!

Une Époque bien intéressante[1]

VALÉRY

Vous entrez dans la vie, jeunes gens, et vous vous trouvez
engagés dans une époque bien intéressante. Une époque
intéressante est toujours une époque énigmatique, qui ne
promet guère de repos, de prospérité, de continuité, de
5 sécurité. Nous sommes dans un âge critique, c'est-à-dire un
âge où coexistent nombre de choses incompatibles, dont[2] les
unes et les autres ne peuvent ni disparaître, ni l'emporter.
Cet état des choses est si complexe et si neuf que personne
aujourd'hui ne peut se flatter d'y[3] rien comprendre; ce qui
10 ne veut pas dire[4] que personne ne s'en flatte. Toutes les
notions que nous tenions pour solides, toutes les valeurs de
la vie civilisée, tout ce qui faisait la stabilité des relations
internationales, tout ce qui faisait la régularité du régime

[1] This selection is taken from Paul Valéry's *Discours de l'histoire*, delivered at the Lycée Janson-de-Sailly, Paris, in July, 1932. At that time, it
will be recalled, the United States was in the midst of its worst depression
and Hitler was becoming so powerful that in 1933 he became Chancellor of
Germany.

[2] **dont les unes et les autres ne peuvent ni disparaître, ni l'emporter** *ALL
of which can neither disappear, nor prevail.*

[3] **d'y rien comprendre** *to understand anything about it.*

[4] **ce qui ne veut pas dire que personne ne s'en flatte** *which does not mean
that no one does.* Note the common idiom **vouloir dire** (*to mean*).

économique; en un mot, tout ce qui limitait assez heureusement l'incertitude du lendemain, tout ce qui donnait aux
nations et aux individus quelque confiance dans le lendemain, tout ceci semble fort compromis. J'ai consulté tous
les augures que j'ai pu trouver, et dans tous les genres; et je 5
n'ai entendu que des paroles fort vagues, des prophéties contradictoires, des assurances curieusement débiles. Jamais
l'humanité n'a réuni tant de puissance à tant de désarroi,
tant de souci et tant de jouets, tant de connaissances[5] et
tant d'incertitudes. L'inquiétude et la futilité se partagent[6] 10
nos jours.

C'est à vous maintenant, chers Jeunes Gens, d'aborder
l'existence, et bientôt les affaires. La besogne ne manque pas.
Dans les arts, dans les lettres, dans les sciences, dans les choses
pratiques, dans la politique enfin, vous pouvez, vous devez 15
considérer que tout[7] est à repenser et à reprendre. Il va
falloir[8] que vous comptiez sur vous-mêmes beaucoup plus
que[9] nous autres n'avions à le faire. Il faut donc armer[10]
vos esprits; ce qui ne veut pas dire qu'il suffit de s'instruire.
Ce n'est rien que[11] de posséder ce qu'on ne songe même pas 20
à utiliser, à annexer à sa pensée. Il en est des connaissances
comme des mots. Un vocabulaire restreint, mais dont on sait
former de nombreuses combinaisons, vaut mieux que trente
mille vocables qui ne font[12] qu'embarrasser les actes de
l'esprit. Je ne vais pas vous offrir quelques conseils. Il ne 25
faut en donner qu'aux personnes très âgées, et la jeunesse

[5] **connaissances** *knowledge.*

[6] **se partagent nos jours** *preoccupy us* (literally, *divide our days between
each other*).

[7] **tout est à repenser et à reprendre** *everything is to be reconsidered and
done over again.*

[8] **Il va falloir que vous comptiez sur.** *It is going to be necessary that you
count on (rely on).*

[9] **que nous autres n'avions à le faire** *than we had to.* In **nous autres** and
vous autres the word **autres** is not to be translated but the *we* and *you* are to
be stressed. Why the **n'** before **avions**? See p. 34, n. 10.

[10] **armer vos esprits** *prepare your minds.*

[11] **que.** Omit this word in translation. See p. 30, n. 12.

[12] **qui ne font qu'embarrasser les actes de l'esprit** *which merely hamper
the actions of the mind.*

s'en charge[13] assez souvent. Laissez-moi cependant vous
prier d'entendre encore une ou deux remarques.

La vie moderne tend à nous épargner l'effort intellec-
tuel comme elle fait l'effort physique. Elle remplace, par
5 exemple, l'imagination par les images, le raisonnement par les
symboles et les écritures, ou par des mécaniques; et souvent
par rien. Elle nous offre toutes les facilités, tous les *moyens
courts* d'arriver[14] au but sans avoir fait le chemin. Et ceci
est excellent : mais ceci est assez dangereux. Ceci se combine
10 à d'autres causes, que je ne vais pas énumérer, pour produire,—comment dirai-je,—une certain diminution géné-
rale des valeurs et des efforts dans l'ordre[15] de l'esprit. Je
voudrais me tromper; mais mon observation est fortifiée
malheureusement par celles que font d'autres personnes. La
15 nécessité de l'effort physique ayant été amoindrie par les
machines, l'athlétisme est venu très heureusement sauver et
même exalter l'être musculaire. Il faudrait peut-être songer
à l'utilité de faire pour l'esprit ce qui a été fait pour le corps.
Je n'ose vous dire que[16] tout ce qui ne demande aucun effort
25 n'est que temps perdu. Mais il y a quelques atomes de vrai
dans cette formule atroce.

Voici enfin mon dernier mot : l'histoire, je le crains, ne
nous permet guère de prévoir; mais associée à l'indépendance de l'esprit, elle peut nous aider à mieux voir. Regardez
25 bien le monde actuel,[17] et regardez la France. Sa situation
est singulière : elle est assez forte et elle est considérée sans
grande amitié. Il importe qu'elle ne compte que sur elle-
même. C'est ici que l'histoire intervient pour nous apprendre
que nos querelles intestines nous ont toujours été fatales.
30 Quand la France se sent unie, il[18] n'y a pas à entreprendre
contre elle. —*Discours de l'histoire*

[13] **s'en charge**   *takes care of it.*
[14] **d'arriver au but sans avoir fait le chemin**   *to reach the end of the road
without traveling its distance (to reach the goal without effort).*
[15] **l'ordre de l'esprit**   *the disciple of the mind.*
[16] **que.**   Do not connect this with the preceding n'. See p. 29, n. 6.
[17] **actuel**   *current, present, of the present day.*
[18] **il n'y a pas à entreprendre contre elle**   *it is useless to oppose her.*

PENSÉES DIVERSES

1. Les hommes qui ont un génie pénétrant et rapide, dit Saint Augustin, profitent plus facilement dans l'éloquence en lisant les discours des hommes éloquents, qu'en étudiant les préceptes mêmes de l'art. —Fénelon
2. Il y a de certaines choses dont la médiocrité est insupportable : la poésie, la musique, la peinture, le discours public. —La Bruyère
3. Ce qui fait la gloire des peuples, c'est la pensée auguste. —Anatole France

EXERCICES

I. Répondez en français :
1. Qu'est-ce qu'une époque intéressante?
2. L'âge décrit par Valéry inspire-t-il la confiance dans le lendemain?
3. Valéry est-il le seul à penser cela?
4. Valéry va-t-il offrir quelques conseils aux jeunes gens?
5. A qui faut-il donner des conseils?
6. Qui s'en charge?
7. Qu'est-ce que la vie moderne tend à nous épargner?
8. Valéry que pense-t-il des *moyens courts*?
9. Est-ce que l'histoire nous permet de prévoir?
10. Pourquoi la situation de la France est-elle singulière?

II. Apprenez par cœur :

vouloir dire	se tromper
songer (penser) à	nous (vous) autres

III. Traduisez sans regarder le texte ni le vocabulaire :
1. Cela ne veut pas dire que personne ne s'en flatte.
2. Ce n'est rien que de posséder ce qu'on ne songe même pas à utiliser.
3. [Conseils]: Il ne faut en donner qu'aux personnes très âgées, et la jeunesse s'en charge assez souvent.
4. On veut arriver au but sans avoir fait le chemin.
5. Regardez le monde actuel.

Tout ce que tu voudras[1]

COURTELINE[2]

ANDRÉ

Bonjour, mon bon. Tu vas peut-être me trouver terriblement indiscret; je viens te demander un service.

ANATOLE

Pourquoi indiscret?

ANDRÉ

Mais, dame . . .[3]

ANATOLE

5 Allons donc![4] De vieux camarades comme nous? . . . Tu as bien fait de penser à moi! Tout ce que tu voudras, parbleu!

ANDRÉ

Je suis confus . . .[5]

ANATOLE

Tu n'es pas fou? . . . Tout ce que tu voudras, je te dis.
10 Pourtant je te préviens tout de suite, si c'est un service d'argent, il n'y a rien de fait . . .[6]

---

[1] *Anything You Wish, All You Want.* What does it say, literally?

[2] **Courteline, Georges** (1860–1929), noted French novelist and dramatist. In more than two scores of farcical skits and one-act comedies, he ridicules, with rollicking fun, the foibles and vices of his age.

[3] **Mais, dame . . .** *Well, you see . . .* (literally, *But, well . . .*).

[4] **Allons donc!** *Come now!* Further on, this same expression means *nonsense.*

[5] **confus** *abashed, ashamed.*

[6] **il n'y a rien de fait** *nothing doing* or *I cannot help you.*

78

ANDRÉ

Rassure-toi . . .

ANATOLE

Ce serait avec grand plaisir, seulement voilà : j'ai payé
mon terme il y a six semaines, et dans six autres semaines,
il faudra que je recommence. Alors, n'est-ce pas,[7] tu comprends? . . .   5

ANDRÉ

Mais oui . . . Mais oui . . .

ANATOLE

En principe, quand tu auras besoin d'argent, ne te gêne[8]
pas. Pourvu que tu ne m'en demandes pas entre deux termes,
tout ce que tu voudras.

ANDRÉ

Merci.   10

ANATOLE

Il n'y a pas de quoi. —Tu disais donc? Ah! pendant que[9]
j'y pense! Ce n'est pas d'une affaire de femme qu'il s'agit?

ANDRÉ

Oui et non. (*Sourire entendu*)[10]

ANATOLE

Bon![11] On sait ce que parler veut dire. Tu peux te fouiller,[12] en cinq sec! —Ah! çà, est-ce que tu perds la tête? Des 15
affaires de femmes, à ton âge? Et tu viens me demander à
moi, homme marié et père de famille, d'aller mettre mon nez
là-dedans? C'est de l'extravagance pure.

ANDRÉ

Pardon . . .

[7] **n'est-ce pas, tu comprends? = tu comprends, n'est-ce pas?**
[8] **ne te gêne pas** *feel free to ask me.*
[9] **pendant que j'y pense! Ce n'est pas d'une affaire de femme qu'il s'agit?**
While I think of it, it isn't concerning a woman, is it? Note the common
idiom **il s'agit de** (*it is a question of, it concerns*).
[10] **Sourire entendu** *A knowing smile.*
[11] **Bon! On sait ce que parler veut dire** *Fine! That's talking!* (ironic).
What does it say, literally?
[12] **Tu peux te fouiller, en cinq sec!** *You just wait until I help you!*

ANATOLE

Écoute, mon vieux; je voudrais bien n'avoir pas l'air de
te dire des choses désagréables, mais là, vrai! ce n'est pas le
sens moral qui t'étouffe.[13] —Ah! qu'autrefois,[14] au Quartier,
nous nous soyons rendu de ces petits services . . ., rien de
5 mieux . . . Mais nous ne sommes plus des enfants, et je
m'étonne, véritablement, de te voir si peu sérieux à un âge
où . . .

ANDRÉ

C'est justement[15] de choses très sérieuses que je suis venu
t'entretenir.

ANATOLE

10 Mais non.

ANDRÉ

Il n'y a pas de mais non, je te dis que si.[16]

ANATOLE

Allons donc!

ANDRÉ

C'est une chose drôle, que je ne puisse[17] pas placer un mot.

ANATOLE

Place-le! Est-ce que je t'en empêche?

ANDRÉ

15 Eh bien! voici. Je viens . . .

ANATOLE

Je suis tout à toi, moi.

ANDRÉ

Je viens . . .

ANATOLE

Il serait regrettable que des Labadens[18] ne pussent compter l'un sur l'autre.

[13] **t'étouffe** *stops you.*
[14] **Ah! qu'autrefois, au Quartier, nous nous soyons rendu de ces petits ser-**
vices . . ., rien de mieux *Ah! that in our younger days, in the army, we
rendered each other little services like that . . ., that was fine.*
[15] **justement** *precisely.*
[16] **je te dis que si** *I tell you yes.* After a negation si is used instead of **oui.**
[17] **que je ne puisse pas** *that I cannot.*
[18] **que des Labadens ne pussent compter l'un sur l'autre** *if Labadens
(schoolfellows) could not count on each other.*

ANDRÉ

C'est mon avis. Donc, je viens te prier de bien[19] vouloir être mon témoin.

ANATOLE

Ton témoin?

ANDRÉ

Oui.

ANATOLE

Veux-tu me permettre? Tu te rappelles le duel Ciboulot? 5

ANDRÉ

Pas du tout.

ANATOLE

Je me le rappelle, moi. Dans le duel Ciboulot, les témoins écopèrent quatre mois de prison.

ANDRÉ

Quel rapport?[20]

ANATOLE

Quel rapport? Le rapport que je ne tiens[21] pas à ce qu'il 10 m'en arrive autant. Mon cher, j'ai la prétention, que je crois justifiée, d'être tout[22] ce qu'il y a au monde de plus serviable et de plus complaisant; mais de là[23] à me faire fourrer à Poissy, moi, homme marié et père de famille, pour des choses qui ne me regardent pas, il y a un écart! Avec qui te bats-tu, 15 d'abord?

ANDRÉ

Avec qui je me bats?

[19] **de bien vouloir être mon témoin** *to be so kind as to be my* **témoin.** The word **témoin** should not be translated here. It means *witness* and *second* (in a duel). Anatole thinks he has been asked to be a second. Duels are forbidden in France but they do occur clandestinely.

[20] **Quel rapport?** *What is the relation? What has that got to do with it?*

[21] **je ne tiens pas à ce qu'il m'en arrive autant** *I am not anxious to have the same thing happen to me.*

[22] **tout ce qu'il y a au monde de plus serviable et de plus complaisant** *the most obliging and the most accommodating fellow in the world.* (What does it say, literally?)

[23] **mais de là à me faire fourrer à Poissy** *but to get myself thrown into prison for this.* Poissy is a well-known prison not far from Paris.

ANATOLE

Oui, avec qui te bats-tu?

ANDRÉ

Je ne me bats pas, je me marie.

ANATOLE

Ah! très bien: j'avais mal compris. C'est pour être témoin devant le maire, alors?

ANDRÉ

5   Parbleu!

ANATOLE

Ça, c'est une autre histoire.

ANDRÉ

Tu acceptes?

ANATOLE

Non, mon vieux; je refuse. Tout ce que tu voudras, mais pas cela. C'est une part de responsabilité que je n'assumerai
10 certainement pas.

ANDRÉ

Il n'y a aucune responsabilité.

ANATOLE

Si! [24] Pour que tu viennes, dans six mois, me raconter que tu es cocu, avec l'air de t'en prendre à moi, merci bien.

ANDRÉ

Comment, [25] cocu ! ! !

ANATOLE

15   Certainement. Je ne te réponds [26] pas que tu le seras, bien entendu, mais enfin [27] on ne sait jamais ce que le mariage nous réserve . . . Surtout avec une gueule [28] comme tu en as une . . . —A part cela, tout ce que tu voudras. —*Le Miroir concave*

---

[24] **Si! Pour que tu viennes** *Yes (there is)! So that you may come.* **Merci bien** (at the end of this speech)=**non, merci beaucoup.**
[25] **Comment** *What do you mean.*
[26] **Je ne te réponds pas que tu le seras** *I do not guarantee that you will be.*
[27] **enfin** *after all.*
[28] **avec une gueule comme tu en as une** *with a "puss" like yours.*

PENSÉES DIVERSES

1.   *Le Métier de Molière*[29]

PARACELSE. Mais vous . . . quel métier avez-vous donc fait
pendant votre vie?

MOLIÈRE. Un métier bien différent du vôtre. Vous avez
étudié les vertus des génies,[30] et moi, j'ai étudié les sottises
des hommes.

PARACELSE. Voilà une belle étude![31] Ne sait-on pas bien
que les hommes sont sujets à faire assez de sottises?

MOLIÈRE. On le sait en gros et confusément; mais il en
faut[32] venir aux détails, et alors on est surpris de l'étendue
de cette science.

PARACELSE. Et à la fin, quel usage en faisiez-vous?

MOLIÈRE. J'assemblais dans un certain lieu le plus grand
nombre de gens que je pouvais, et là je leur faisais voir
qu'ils étaient tous des sots.

PARACELSE. Il fallait[33] de terribles discours pour leur persuader une pareille vérité.

MOLIÈRE. Rien n'est plus facile. On leur prouve leurs sottises, sans employer de grands tours d'éloquence, ni des
raisonnements bien médités. Ce qu'ils font est si ridicule,
qu'il ne[34] faut qu'en faire autant devant eux, et vous les
voyez aussitôt crever de rire.

PARACELSE. Je vous entends; vous étiez comédien.

—Fontenelle

2. Il faut avouer que Molière est un grand poète comique . . .
Il a peint par des traits forts presque tout ce que nous
voyons de déréglé et de ridicule. —Fénelon

3. Le rire est, avant tout, une correction. Fait pour humilier, il
doit donner à la personne qui en est l'objet une impression

[29] **Le Métier de Molière** *Molière's Profession.* Molière (1622–1673),
France's greatest comic genius, was playwright-actor-director-manager of
his company. In this selection, taken from one of the *Dialogues des morts* by
Fontenelle (1657–1757), Molière is talking with Paracelsus, a 16th-century
Swiss physician, astrologer, and alchemist.

[30] **génies** *genii* or *inhabitants of the elements* (nymphs, sirens, ghosts, etc.).

[31] **Voilà une belle étude!** *That's a fine study!* (sarcastic). In the next
sentence **bien** modifies **sait**.

[32] **il en faut venir aux détails** *you must come down to details.*

[33] **Il fallait** *It took, It required.*

[34] **qu'il ne faut qu'en faire autant** *that all it takes is to do the same thing.*

pénible. La société se venge par lui des [35] libertés qu'on a prises avec elle. —Bergson [36]

EXERCICES

I. Répondez en français :
1. Pourquoi André va-t-il trouver Anatole?
2. Anatole veut-il bien lui rendre un service?
3. Quand Anatole a-t-il payé son terme?
4. S'il avait de l'argent, en prêterait-il à son ami?
5. Expliquez le sens de la phrase : *Pourvu que tu ne m'en demandes pas entre deux termes.*
6. Après la question d'argent, sur quoi la conversation roule-t-elle?
7. Depuis quand les deux amis se connaissent-ils?
8. Le duel est-il permis en France?
9. Pourquoi Anatole refuse-t-il d'être témoin au mariage de son ami?

II. Apprenez par cœur :

il y a (with an expression of time)   tenir à   il s'agit de

vouloir bien   aussitôt (cf. bientôt)   bien entendu

pourvu que   en faire autant   là-dedans

pendant que   autrefois   comment! (*what!*)

III. Traduisez sans regarder le text ni le vocabulaire :
1. Si c'est un service d'argent, il n'y a rien de fait.
2. J'ai payé mon terme, il y a six semaines.
3. Pendant que j'y pense! Ce n'est pas d'une affaire de femme qu'il s'agit?
4. C'est justement de choses très sérieuses que je suis venu t'entretenir.
5. Tu dis mais non, et je te dis que si.
6. Je viens te prier de bien vouloir être mon témoin.
7. Quel rapport? Le rapport que je ne tiens pas à aller en prison.
8. A part cela, tout ce que tu voudras.
9. Ce qu'ils font est si ridicule, qu'il ne faut qu'en faire autant devant eux, et vous les voyez aussitôt crever de rire.

[35] **des** *for.*
[36] **Bergson, Henri** (1859–1941), eminent philosopher.

Bataille de Waterloo

CHATEAUBRIAND

Le 18 juin 1815, vers midi, je sortis de Gand[1] par la porte de Bruxelles; j'allai seul achever ma promenade sur la grande route. J'avais emporté les *Commentaires*[2] de César et je cheminais lentement, plongé dans ma lecture. J'étais déjà à plus d'une lieue de la ville, lorsque je crus[3] ouïr un roule- 5 ment sourd: je m'arrêtai, regardai le ciel assez chargé de nuées, délibérant en moi-même si je continuerais d'aller en avant, ou si je me rapprocherais de Gand dans la crainte d'un orage. Je prêtai l'oreille; je n'entendis plus que le cri d'une poule d'eau dans des joncs et le son d'une horloge de 10 village. Je poursuivis ma route: je n'avais pas fait trente pas que le roulement recommença, tantôt bref, tantôt long et à intervalles inégaux; quelquefois il n'était sensible[4] que par une trépidation de l'air, laquelle se communiquait à la terre sur ces plaines immenses, tant il était éloigné. Ces détonations 15 moins vastes, moins onduleuses, moins liées[5] ensemble que celles de la foudre, firent naître[6] dans mon esprit l'idée d'un

[1] **Gand** *Ghent*, Belgium. During that period known in history as the Hundred Days (from March 20, 1815, when Napoleon returned from Elba, to June 28, 1815, when Louis XVIII returned to the throne), Chateaubriand was in Ghent with Louis XVIII who had fled there with his ministers. Chateaubriand was at that time minister of the interior.

[2] Caesar's account of the Gallic Wars and the Civil War (first century B.C.).

[3] **je crus ouïr un roulement sourd** *I thought I heard a vague rumbling.*

[4] **sensible** *audible.*

[5] **moins liées ensemble** *less close together, at longer intervals.*

[6] **firent naître dans mon esprit l'idée** *made me think of.* What does it say, literally?

combat. Je me trouvais devant un peuplier planté à l'angle
d'un champ de houblon. Je traversai le chemin et je m'appuyai debout contre le tronc de l'arbre, le visage tourné du [7]
côté de Bruxelles. Un vent du sud s'étant levé m'apporta
5 plus distinctement le bruit de l'artillerie. Cette grande bataille, encore sans nom, dont j'écoutais les échos au pied
d'un peuplier, et dont une horloge de village venait[8] de
sonner les funérailles inconnues, était la bataille de Waterloo.
Auditeur silencieux et solitaire du formidable arrêt[9] des
10 destinées, j'aurais été moins ému si je m'étais trouvé dans
la mêlée : le péril, le feu, la cohue de la mort ne m'eussent[10]
pas laissé le temps de méditer ; mais seul sous un arbre, dans
la campagne de Gand, comme le berger des troupeaux qui
paissaient[11] autour de moi, le poids des réflexions m'acca-
15 blait : quel était ce combat? Était-il définitif? Napoléon
était-il là en personne? Le monde, comme la robe du Christ,
était-il jeté[12] au sort? Succès ou revers de l'une ou de l'autre
armée, quelle serait la conséquence de l'événement pour les
peuples, liberté ou esclavage? Mais quel sang coulait! chaque
20 bruit parvenu[13] à mon oreille n'était-il pas le dernier soupir
d'un Français? Était-ce un nouveau Crécy,[14] un nouveau
Poitiers, un nouvel Azincourt, dont[15] allaient jouir
les plus implacables ennemis de la France? S'ils triom-
phaient, notre gloire n'était-elle pas perdue? Si Napoléon
25 l'emportait, que devenait[16] notre liberté? Bien qu'un succès

---

[7] **du côté de** *towards, in the direction of.*

[8] **venait de sonner les funérailles inconnues** *had just sounded the (yet) unknown funeral rites.*

[9] **arrêt des destinées** *decree of destiny.*

[10] **ne m'eussent pas laissé** *would not have given (left) me.*

[11] **paissaient.** Imperfect of **paître,** *to graze.*

[12] **était-il jeté au sort?** *was it at the mercy of fate?*

[13] **parvenu à** *reaching.*

[14] **Crécy . . . Poitiers . . . Azincourt.** During the Hundred Years' War between England and France (1337–1453), the French army suffered severe defeats at Crécy (1346), at Poitiers (1356), and at Azincourt (1415).

[15] **dont allaient jouir** *over which were going to rejoice.*

[16] **que devenait notre liberté?** *what would become of our liberty?* **Devenait,** literally, *was becoming.*

de Napoléon m'ouvrît[17] un exil éternel, la patrie l'emportait
dans ce moment dans mon cœur; mes vœux étaient pour
l'oppresseur de la France, s'il devait,[18] en sauvant notre
honneur, nous arracher à la domination étrangère.

Wellington triomphait-il? La légitimité[19] rentrerait donc 5
dans Paris derrière ces uniformes rouges qui[20] venaient de
reteindre leur pourpre au sang des Français! La royauté[21]
aurait donc pour carrosses de son sacre les chariots d'am-
bulance remplis de nos grenadiers mutilés! Que sera-ce[22]
qu'une restauration accomplie sous de tels auspices? Ce 10
n'est là qu'une bien petite partie des idées qui me tourmen-
taient. Chaque coup de canon me donnait une secousse et
doublait le battement de mon cœur. A quelques lieues d'une
catastrophe immense, je ne la voyais pas . . .

Aucun voyageur ne paraissait; quelques femmes dans les 15
champs, sarclant paisiblement des sillons de légumes,
n'avaient pas l'air[23] d'entendre le bruit que j'écoutais.

—*Mémoires d'outre-tombe*

⌄PENSÉES DIVERSES

1.   Composition Française

Tout jeune Napoléon était très maigre
et officier d'artillerie

[17] **m'ouvrît un exil éternel** *would open an eternal exile for me.* Chateaubriand had served Napoleon as first secretary to the embassy at Rome and
as a minister in Switzerland, but when in 1804 the true character of
Napoleon was demonstrated in the execution of the Duke d'Enghien ordered
by Napoleon, Chateaubriand broke violently with the Emperor.

[18] **s'il devait, en sauvant notre honneur, nous arracher à** *if he were, by
preserving our honor, to save us from.*

[19] **La légitimité rentrerait** *Would legitimacy (hereditary royalty) reënter.*

[20] **qui venaient de reteindre leur pourpre au sang des Français!** *whose
purple had just been immersed in French blood!* (literally, *which had just redyed
their purple in French blood*).

[21] **La royauté aurait donc pour carrosses de son sacre les chariots d'am-
bulance remplis de nos grenadiers mutilés!** *Would royalty then have for its
coronation coaches hospital wagons filled with mutilated grenadiers* (the elite
of Napoleon's army)?

[22] **Que sera-ce qu' . . .?** *What will . . . be like?*

[23] **n'avaient pas l'air d'entendre** *did not seem to hear.*

plus tard il devint empereur
alors il prit[24] du ventre et beaucoup de pays
et le jour où il mourut il avait encore
du ventre
mais il était devenu plus petit. —Prévert, *Paroles*
2. A la longue le sabre est toujours battu par l'esprit. —Napoléon
3. La parole animée par les vives images, par les grandes figures, par le transport des passions et par le charme de l'harmonie, fut nommée le langage des Dieux. —Fénelon
4. Chateaubriand a enchanté le siècle. —Faguet

EXERCICES

⊘ I. Répondez en français :
   1. Où se trouve Gand?
   2. Qu'est-ce que Chateaubriand lisait en cheminant?
   3. Pourquoi s'est-il arrêté?
   4. Expliquez (en français) la phrase : *je prêtai l'oreille.*
   5. Si Chateaubriand s'était trouvé dans la mêlée, aurait-il été plus ému?
   6. Avait-il sujet (*reason*) de craindre le triomphe de Napoléon?
   7. Ses vœux étaient-ils pour les alliés ou pour Napoléon?
   8. Quel effet produisaient les coups de canon sur l'écrivain?
   9. A quelle distance se trouvait-il de la catastrophe?
   10. Les femmes qui travaillaient dans la campagne entendaient-elles les coups de canon?

↘ II. Apprenez par cœur :

vers	tantôt . . . tantôt	avoir l'air de
lentement	debout	du côté de
déjà	venir de (+infinitive)	bien que

III. Traduisez sans regarder le texte ni le vocabulaire :
   1. J'allai seul achever ma promenade sur la grande route.
   2. Je n'entendis plus que le son d'une horloge de village.
   3. Le roulement recommença, tantôt bref, tantôt long.
   4. Ces détonations firent naître dans mon esprit l'idée d'un combat.

[24] **il prit du ventre** *he became stout, he developed a paunch.*

5. Je m'appuyai debout contre le tronc de l'arbre, le visage tourné du côté de Bruxelles.
6. La patrie l'emportait dans mon cœur.
7. Ces femmes n'avaient pas l'air d'entendre le bruit que j'écoutais.

W IV. Révisez ces faux amis :

habile	achever	actuel
avis	justement	confus
blesser	regarder	

Un Jeune Bachelier[1] médite sur son avenir

GIDE[2]

—Et votre examen? [demanda Édouard].

—Je suis reçu; cela n'a pas d'importance. Ce qui m'importe, c'est ce que je vais faire à présent. Savez-vous ce qui me retient surtout de retourner chez mon père? C'est que je
5 ne veux pas de son argent. Vous me trouvez sans doute absurde de faire[3] fi de cette chance; mais c'est une promesse que je me suis faite à moi-même, de m'en[4] passer. Il m'importe[5] de me prouver que je suis un homme de parole, quelqu'un sur qui je peux compter.
10 —Je vois surtout là de l'orgueil.

---

[1] Do not translate. A **bachelier** is a graduate of a **lycée** or **collège** who has received his baccalaureate, a degree which enables him to continue his education at any university or in one of the **grandes écoles** such as the **École normale supérieure**, **École polytechnique**, and other specialized schools. In this selection, taken from *Les Faux-Monnayeurs* (*The Counterfeiters*), a novel with many characters, many ideas, and a complicated technique which gives the impression of the complexity of life, Bernard has just passed his baccalaureate examination. He is talking about his future with Édouard, a writer who often expresses Gide's ideas.

[2] **Gide, André** (1869–1951), one of the leaders in French literature. He wrote in many forms and often in pure classical style. In 1947 he won the Nobel prize for literature.

[3] **de faire fi de cette chance** *to waste this opportunity.*

[4] **de m'en passer** *to do without it.*

[5] **Il m'importe de me prouver** *It is important to me to prove to myself.*

—Appelez cela du nom qu'il vous plaira : orgueil, présomption, suffisance . . . Le sentiment qui m'anime, vous ne le discréditerez pas à mes yeux. Mais, à présent, voici ce que je voudrais savoir : pour se diriger dans la vie, est-il nécessaire de fixer les yeux sur un but? 5

—Expliquez-vous.

—J'ai débattu cela toute la nuit. A quoi faire [6] servir cette force que je sens en moi? Comment tirer [7] le meilleur parti de moi-même? Est-ce en me dirigeant vers un but? Mais ce but, comment le choisir? Comment le connaître, aussi [8] long- 10 temps qu'il n'est pas atteint?

—Vivre sans but, c'est laisser disposer de soi l'aventure. [9]

—Je crains que vous ne me compreniez [10] pas bien. Quand Colomb découvrit l'Amérique, savait-il vers quoi il voguait? Son but était d'aller devant, tout droit. Son but, c'était lui, 15 et [11] qui le projetait devant lui-même . . .

—J'ai souvent pensé, interrompit Édouard, qu'en art, et en littérature en particulier, ceux-là seuls comptent qui se lancent vers l'inconnu. On ne découvre pas de terre nouvelle sans consentir à perdre de vue, d'abord et longtemps, tout 20 rivage. Mais nos écrivains craignent le large ; [12] ce ne sont que des côtoyeurs.

—Hier, en sortant de mon examen, continua Bernard sans l'entendre, je suis entré, je ne sais quel démon me poussant, dans une salle où se tenait une réunion publique. Il y 25 était question d'honneur national, de dévouement à la patrie, d'un tas de choses qui me faisaient battre le cœur. Il [13] s'en est fallu de bien peu que je ne signe certain papier,

---

[6] **A quoi faire servir** *What use can I make of.*

[7] **Comment tirer le meilleur parti de moi-même?** *How can I get out the best that is in me?*

[8] **aussi longtemps qu'il n'est pas atteint** *until (before) I reach it.* What does it say, literally?

[9] **c'est laisser disposer de soi l'aventure** *is to give oneself up to chance.*

[10] **compreniez** *understand* (present subjunctive).

[11] **et qui le projetait devant lui-même** *impelling him to go ahead.*

[12] **le large** *the open sea* (that is to say, *the unknown*).

[13] **Il s'en est fallu de bien peu que je ne signe certain papier, où je m'engageais** *I came very close to signing a certain paper, in which I was pledging.*

où je m'engageais, sur l'honneur, à consacrer mon activité
au service d'une cause qui certainement m'apparaissait belle
et noble.

—Je suis heureux que vous n'ayez[14] pas signé. Mais, ce
5 qui vous a retenu?

—Sans doute quelque secret instinct . . . Bernard ré-
fléchit quelques instants, puis ajouta en riant: —Je crois
que c'est surtout la tête[15] des adhérents; à commencer par
celle de mon frère aîné, que j'ai reconnu dans l'assemblée.
10 Il m'a paru que tous ces jeunes gens étaient animés par les
meilleurs sentiments du monde et qu'ils faisaient fort bien
d'abdiquer leur initiative, car elle ne les eût[16] pas menés
loin . . . Je me suis dit également qu'il était bon pour le pays
qu'on pût[17] compter parmi les citoyens un grand nombre de
15 ces bonnes volontés ancillaires; mais que ma volonté à moi[18]
ne serait jamais de celles-là. C'est alors que je me suis demandé comment établir une règle, puisque je n'acceptais
pas de vivre sans règle, et que cette règle je ne l'acceptais pas
d'autrui.

20   —La réponse me paraît simple: c'est de trouver cette
règle en soi-même; d'avoir pour but le développement de soi.

—Oui . . ., c'est bien là ce que je me suis dit. Mais je n'en
ai pas été[19] plus avancé pour cela. Si encore j'étais certain
de préférer en moi le meilleur, je lui donnerais[20] le pas sur
25 le reste. Mais je ne parviens pas même à connaître ce que
j'ai de meilleur en moi . . . J'ai débattu toute la nuit, vous
dis-je. Vers le matin, j'étais si fatigué que je songeais[21] à
devancer l'appel de ma classe; à m'engager.

[14] **que vous n'ayez pas signé**   *that you did not sign.*
[15] **la tête des adhérents**   *the looks of those present.*
[16] **elle ne les eût pas menés loin**   *it would not have led them far.*
[17] **on pût**   *one could.*
[18] **ma volonté à moi ne serait jamais de celles-là**   *my own will would never
be of that kind* (*like theirs*).
[19] **je n'en ai pas été plus avancé pour cela**   *I wasn't any wiser for all of
that* (or, freely, *it didn't do me any good*).
[20] **je lui donnerais le pas sur le reste**   *I would give it preference over the rest.*
[21] **je songeais à devancer l'appel de ma classe; à m'engager**   *I thought of
enlisting before my class was called up;* [*yes*], *enlisting.*

—Échapper à la question n'est pas la résoudre.

—C'est ce que je me suis dit, et que cette question, pour être ajournée, ne se poserait à moi que plus gravement après mon service. Alors je suis venu vous trouver pour écouter votre conseil.   5

—Je n'ai pas à vous en donner. Vous ne pouvez trouver ce conseil qu'en vous-même ni apprendre comment vous devez vivre, qu'en[22] vivant.

—Et si je vis mal, en attendant d'avoir décidé comment vivre?   10

—Ceci même[23] vous instruira. Il est bon[24] de suivre sa pente, pourvu que ce soit en montant. —*Les Faux-Monnayeurs*

PENSÉES DIVERSES

1. A dix-huit ans je croyais . . . que tout était soumis aux lois et que ce monde était un enchaînement[25] dur d'effets et de causes que la science allait arriver[26] après-demain à débrouiller parfaitement. —Claudel
2. Il n'y a que deux choses à enseigner : le Travail et le Dévouement. —Vigny
3. Sois satisfait des fleurs, des fruits, même des feuilles
   Si c'est dans ton jardin à toi[27] que tu les cueilles. —Rostand[28]

EXERCICES

I. Répondez en français :
1. Pourquoi Bernard ne veut-il pas retourner chez son père?
2. Que veut-il se prouver?
3. Édouard que pense-t-il de cela?

[22] **qu'en vivant**   *except by living.*

[23] **Ceci même vous instruira**   *This very thing* (*this in itself*) *will teach you.*

[24] **Il est bon de suivre sa pente, pourvu que ce soit en montant**   *It is good to follow one's inclination, provided it leads uphill.*

[25] **un enchaînement dur d'effets et de causes**   *a strictly logical sequence of causes and effects.*

[26] **arriver . . . à débrouiller**   *succeed . . . in unraveling.*

[27] **à toi.**   See p. 92, n. 18.

[28] **Rostand,** Edmond (1868–1918), distinguished poet and dramatist.

4. En art et surtout en littérature qui sont les seuls qui comptent, selon Édouard-Gide?
5. Quel était le but de Colomb?
6. Où est entré Bernard en sortant de l'examen?
7. Les jeunes gens de cette réunion avaient-ils beaucoup d'initiative?
8. Bernard cherche une règle pour se diriger dans la vie. Où faut-il trouver cette règle?
9. A quelle condition est-il bon de suivre sa pente?

II. Apprenez par cœur:

être reçu	s'en passer
se passer de quelque chose	échapper à

III. Traduisez sans regarder le texte ni le vocabulaire:
1. Il m'importe de me prouver que je suis un homme de parole.
2. Pour se diriger dans la vie, est-il nécessaire de fixer les yeux sur un but?
3. A quoi faire servir cette force que je sens en moi?
4. Son but était d'aller devant, tout droit.
5. Je suis entré dans une salle où se tenait une réunion.
6. Échapper à la question n'est pas la résoudre. —C'est bien là ce que je me suis dit.
7. Et si je vis mal en attendant d'avoir décidé comment vivre? —Cela même vous instruira.

L'Écart tragique
de trois courbes

ROMAINS[1]

L'évolution de l'humanité depuis la préhistoire laisse[2] apparaître trois courbes particulièrement remarquables. Nous les appellerons—pour choisir les termes les plus simples : courbe de la nature humaine ; courbe des institutions ; courbe de la technique.　　　　　　　　　　5

La nature humaine, c'est la nature humaine individuelle ; c'est l'homme moyen, avec ses tendances, ses aptitudes, le mécanisme de ses réactions innées . . .

Le mot d'institutions doit être pris en un sens très large.[3] Il s'agit en somme de ce que tous les hommes en société in- 10 ventent pour organiser et perpétuer leur vie collective, pour

[1] **Romains, Jules** (1885—) is one of the great names in contemporary French literature. Although he has written good poetry and original, humorous plays, he is probably best known for his masterpiece, *Les Hommes de bonne volonté,* a series of novels in which he gives a cross section of contemporary France. In this work some of the characters are preoccupied with the problem of world peace. Romains has also written several books on the necessity of establishing an effective organization for the solution of world problems and the establishment and preservation of world peace. The above selection is taken from one of these books, *Le Problème numéro un* (1947).

[2] **laisse apparaître** *shows.*

[3] **large** *broad.* This is the usual meaning of **large.**

y adapter l'individu; et de tout ce climat moral et intellec-
tuel que la société crée autour de l'homme et qui s'appelle
culture. Dans les institutions, nous faisons [4] donc rentrer
non seulement les lois, les structures politiques; les arrange-
5 ments divers, juridiques ou économiques, qui règlent les
rapports des hommes entre eux et ceux des peuples; mais
aussi les mœurs; et, dominant le tout, les religions et les
créations supérieures de l'esprit, comme la philosophie, la
littérature, l'art, et la science, dans la mesure où [5] la science
10 ne se tourne pas vers les applications pratiques. Il est aisé
de voir que l'éducation et la mentalité sont un produit
direct des institutions ainsi entendues.
    Enfin la technique n'a guère besoin d'être définie. C'est
tout ce que l'homme en société a inventé au cours des âges
15 pour améliorer les conditions matérielles de sa vie et aug-
menter son pouvoir sur la nature extérieure, depuis les silex
éclatés de l'homme des cavernes jusqu'à [6] l'avion actuel et
aux dispositifs de commande mécanique à distance. La
courbe de la technique serait même mieux appelée courbe du
20 *pouvoir* (de l'homme sur la nature) . . .
    Jusque vers le milieu du XVIIIᵉ siècle, ces trois courbes
avaient cheminé [7] d'un pas analogue, et sans s'écarter beaucoup l'une de l'autre . . . Mais à partir de cette date elle [la
courbe de la technique] prend une allure entièrement dif-
25 férente. Elle s'écarte de plus en plus des deux autres. Elle
commence une ascension qui est tout de suite rapide, mais
qui, chaque quart de siècle, acquiert une accélération plus
grande . . . .
    Tant que ce pouvoir ne grandissait pas plus vite que la
30 force des institutions civilisatrices et que [8] le contrôle exercé

[4] **nous faisons donc rentrer** *we include then.*
[5] **dans la mesure où la science ne se tourne pas** *insofar as science does not turn.* What does it say, literally?
[6] **jusqu'à l'avion actuel et aux dispositifs de commande mécanique à distance** *to the present-day airplane and remote control devices.*
[7] **avaient cheminé d'un pas analogue** *had progressed at approximately the same speed.* What does it say, literally?
[8] **que** *than.*

par elle sur les impulsions violentes de l'individu et des
masses . . ., les catastrophes, tout[9] en variant de gravité et
d'ampleur suivant les circonstances, se tenaient[10] autour
d'une certaine valeur moyenne, et n'avaient jamais franchi
certaines limites. Ainsi la guerre de Trente ans[11] n'avait pas 5
été plus désastreuse que la guerre de Cent ans; ni celle-ci
plus que la crise qui avait liquidé l'empire carolingien.[12] Et
cette crise elle-même avait moins détruit que[13] n'avait fait
la chute de l'empire romain d'Occident.

Mais au moment où la courbe du pouvoir commençait son 10
ascension vertigineuse, il[14] eût fallu que les autres courbes
connussent une ascension analogue; c'est-à-dire que le perfectionnement de la nature humaine et celui de l'organisation politique de l'humanité marchassent[15] aussi vite. Il
n'en a rien été . . . .[16]   15

[L'humanité] s'est trouvée dans la situation d'un enfant,
à qui, jusqu'à l'âge de cinq ans, l'on aurait donné pour jouer
des chevaux de carton, des polichinelles, au plus[17] un petit tri-
cycle et une trottinette; et qui à l'âge de cinq ans *et un mois*
recevrait soudain, avec entière liberté d'en disposer suivant 20
ses caprices, des revolvers, des bombes, un baril de poudre,
un tonneau d'acide sulfurique, sans oublier une collection de
poignards, et toute la variété possible d'allumettes, de
briquets, et d'instruments à[18] perforer . . .

---

[9] **tout en** (+present participle) *while.*

[10] **se tenaient autour d'une certaine valeur moyenne** *remained within
certain moderate bounds.*

[11] Thirty Years' War (1618–1648), a European war fought mainly in
Germany. For the Hundred Years' War see p. 86, n. 14.

[12] The Carolingian empire was established by Charlemagne from whom
its name is derived. In 843 it was divided among the sons of Louis I, son of
Charlemagne. One of its dynasties lasted until 987.

[13] **que n'avait fait la chute de l'empire romain d'Occident** *than the fall of
the Western Roman empire* (476). What does it say, literally?

[14] **il eût fallu que les autres courbes connussent** *it would have been necessary that the other curves undergo.*

[15] **marchassent** *progress.*

[16] **Il n'en a rien été** *Nothing of the kind happened.*

[17] **au plus** *at most.*

[18] **instruments à perforer** *drilling instruments.*

Si le mouvement des trois courbes reste de même allure,
c'est-à-dire si leur *écart* continue à croître de la même façon
vertigineuse, il me paraît impossible d'échapper aux conclusions suivantes :

5 1° Le même jeu de forces qui jusqu'ici a provoqué les
catastrophes n'a aucune raison de n'en pas produire de
nouvelles (par des combinaisons peut-être imprévisibles,
donc impossibles à déjouer d'avance. Autrement dit,
éliminer par exemple l'impérialisme, éliminer le socialisme
10 totalitaire, ne nous garantit nullement qu'un nouveau fléau
quelconque ne surgira pas). Et il n'y a aucune raison pour
que [19] le retour du phénomène tarde longtemps.

2° Une nouvelle catastrophe sera nécessairement beaucoup plus grave que la dernière. Elle présentera le pouvoir
15 de destruction de celle-ci plusieurs fois multiplié—d'autant [20]
plus de fois multiplié que l'intervalle entre les deux catastrophes aura été plus long. (Donc, en fin de compte, l'allongement du délai sera sans profit pour l'humanité.)

3° Le seul motif de croire que cette série de catastrophes
20 en progression géométrique ne durera pas très longtemps,
est qu'il suffira probablement d'une, ou au plus de [21] deux
encore que la civilisation disparaisse (et que les trois courbes
reviennent à leurs positions de la préhistoire). —*Le Problème numèro un*

PENSÉES DIVERSES

1. La machine gouverne. La vie humaine est rigoureusement
enchaînée par elle, assujettie aux volontés terriblement
exactes des mécanismes. Ces créatures des hommes sont
exigeantes. Elles réagissent à présent sur leurs créateurs et
les façonnent d'après elles . . . .
    Il y a une sorte de pacte entre la machine et nous-mêmes,

[19] **pour que le retour du phénomène tarde longtemps** *for the recurrence of
the phenomenon to delay long.*
[20] **d'autant plus de fois multiplié que** *multiplied by as many times as.*
[21] **ou au plus de deux encore pour que la civilisation disparaisse** *or at most
two more for civilization to disappear.*

pacte comparable à ces terribles engagements que[22] contracte
le système nerveux avec les démons subtils de la classe des toxi-
ques. Plus la machine nous semble utile, plus elle le devient;
plus elle le devient, plus nous devenons *incomplets*, incapables
de nous en priver . . .

Les plus redoutables des machines ne sont point peut-être
celles qui tournent, qui roulent, qui transportent ou qui trans-
forment la matière ou l'énergie. Il[23] est d'autres engins, non
de cuivre ou d'acier bâtis, mais d'individus étroitement
spécialisés: organisations, machines administratives, construites[24] à l'imitation d'un esprit *en ce qu'il a d'impersonnel.*
—Valéry, *Variété I*

2. Tandis que les rapports de l'homme avec son milieu physique
sont devenus de plus en plus précis et de plus en plus avan-
tageux, les rapports de l'homme avec l'homme sont demeurés
dominés par un empirisme[25] détestable. —Valéry, *Variété I*

3. Si les hommes pouvaient s'améliorer, ce serait une grande
tristesse de songer qu'ils ne le font pas. Mais, de songer qu'ils
n'y[26] peuvent rien, cela, du moins, enseigne une indulgence[27]
infinie. —Duhamel

EXERCICES

I. Répondez en français:
1. Quelles sont les trois courbes dont s'occupe Jules Romains?
2. Comment définit-il la nature humaine?
3. Définissez brièvement le mot d'institutions.
4. Quelle courbe serait mieux appelée courbe du pouvoir?
5. Jusqu'à quelle époque ces trois courbes avaient-elles
cheminé d'un pas analogue?
6. Quelle courbe s'écarte de plus en plus des deux autres?

[22] **engagements que contracte** *agreements which are made by.* **Que** is never the subject of a verb.
[23] **Il est = Il y a.**
[24] **construites à l'imitation d'un esprit en ce qu'il a d'impersonnel** *built in the image of a mind "that functions impersonally."*
[25] **empirisme** *empiricism* (that is to say, limited solely by observation and experience).
[26] **ils n'y peuvent rien** *they cannot do anything about it.*
[27] **indulgence** *forbearance.*

7. Tant que la technique ne grandissait pas trop vite, les catastrophes n'avaient pas franchi certaines limites. Quelle en est l'évidence?

8. Décrivez la situation dans laquelle s'est trouvée l'humanité au moment où la courbe du pouvoir commence son ascension vertigineuse.

9. L'enfant dont parle Jules Romains quel âge a-t-il maintenant (à votre avis)?

10. Que pensez-vous des conclusions tirés par Jules Romains sur l'écart des trois courbes? Vous semblent-elles raisonnables, cyniques, réalistes, pessimistes, exagérées?

11. Quelles sont, selon Valéry, les machines les plus redoutables?

12. L'homme, selon Duhamel, peut-il s'améliorer?

II. Apprenez par cœur :

tout en (+present participle)	d'avance	en fin de compte
au plus	de plus en plus	du moins
	il est (=il y a)	

III. Traduisez sans regarder le texte ni le vocabulaire :

1. L'évolution de l'humanité depuis la préhistoire laisse paraître trois courbes remarquables.

2. Le mot d'institutions doit être pris en un sens très large.

3. Il s'agit en somme de ce que les hommes inventent pour perpétuer leur vie collective, pour y adapter l'individu.

4. A partir de cette date la courbe du pouvoir s'écarte de plus en plus des deux autres.

5. Tout en variant de gravité, les catastrophes n'avaient jamais franchi certaines limites.

6. Il me paraît impossible d'échapper aux conclusions suivantes.

7. Les machines réagissent à présent sur leurs créateurs et les façonnent d'après elles.

8. Plus la machine nous semble utile, plus elle le devient.

Pour bien élever
les enfants

DUHAMEL

J'ai fait visite à mes vieux maîtres.[1] L'un d'eux m'a dit :
«L'esprit![2] L'esprit, seul, importe!» Un autre a murmuré,
pour clore notre entretien : «La vérité, au-dessus de tout!»
Un troisième—en ai-je donc tant?—a posé, dès le seuil, en
principe : «La certitude, la certitude d'abord!»   5

J'ai demandé, mais si bas qu'ils n'ont pas entendu : «Et le
bonheur?» Ils n'en parlent jamais. Toutefois,[3] ce qu'ils
appellent «esprit», «vérité», «certitude», ce n'est que la condition essentielle de leur bonheur, de leur bonheur personnel.

Le bonheur de mes petits hommes,[4] leur bonheur présent 10
et futur, voilà ce qui m'occupe, voilà ce qui, en quelque
mesure, dépend de moi. Mais la difficulté est partout.

Je viens de rencontrer M. Simon; il m'a dit : «J'ai de
beaux souvenirs[5] d'enfance. J'ai été heureux, choyé, dor-

[1] **maîtres** *teachers.*
[2] **L'esprit** *The mind.*
[3] **Toutefois** *However.*
[4] The author's two little boys. In the book from which this selection is
taken, *Les Plaisirs et les jeux* (1922), the physician-writer Duhamel analyzes
everything his "little men" do, say, or desire—no matter how insignificant
it seems to be. He looks upon his little boys as typical of childhood. One
of the charms of the book is that Duhamel studies in it not only the child
but also man in his contact with the child.
[5] **souvenirs** *memories.*

loté. On ne m'a jamais refusé qu'une chose, après me l'avoir promise, une malheureuse boîte de soldats de fer-blanc. Eh bien! je ne serai jamais dédommagé. J'ai cinquante ans. Il est un peu tard pour réparer . . . Mais l'impression de des-
5 saisissement persiste.»
Nous rions. Je le comprends. J'ai, jadis, laissé[6] tomber dans la poussière une bouchée de pain que j'étais en train[7] de mâcher. Le vide qu'elle a laissé n'a pas encore été comblé par les milliers[8] de bouchées de pain que, depuis, j'ai mises
10 à la même place.

Un de mes amis qui avait reçu du destin le père le plus dévoué, le plus tendre, le plus attentif, n'en[9] parlait jamais sans ajouter: «Il m'a donné une gifle un matin, le lundi de Pâques; j'avais dix ans.» Vingt années d'affection et de soins
15 formaient un panorama confus au milieu duquel se dressait, cruel et précis, le souvenir de cette gifle unique.[10]

Ceux qui ont reçu dix mille gifles les oublient parfois. La gifle unique est un événement mémorable . . .

Au travail! Au travail! A moi[11] Platon, Rabelais, Mon-
20 taigne, Fénelon, Locke, Rousseau, tous les gars qui s'y con-naissent!

Je vous ai[12] sortis de ma bibliothèque, bouquins véné-rables. Et je vous ai lus. J'y[13] ai pris plaisir.

Pasquier[14] assure que, chez les Gaulois, les enfants ne se

[6] **J'ai, jadis, laissé tomber** *Once I dropped.*
[7] **que j'étais en train de mâcher** *which I was chewing.* **Être en train de** *to be in the act of.*
[8] **milliers** *thousands.*
[9] **en** *of him (and his qualities).*
[10] **unique** *single.*
[11] **A moi . . . tous les gars qui s'y connaissent** *Let's consult Plato, Rabelais, Montaigne, Fénelon, Locke, Rousseau—all the fellows who are experts in it* (the education of children!) These authors, except Locke (English philosopher, 1632–1704), will come up again in this selection. Notes on them, if not already given, will be given later.
[12] **Je vous ai sortis** *I have taken you out.* Note that **sortir** is here used transitively; that is why the auxiliary is **avoir.**
[13] **J'y ai pris plaisir** *I have enjoyed you.* (Literally, *I took pleasure in them, I enjoyed them.*)
[14] **Pasquier, Étienne (1529–1615), French jurist and writer.**

présentaient «devant la face de leurs pères et mères avant qu'ils eussent[15] atteint le quatorzième an de leur âge», afin, ajoute-t-il, «d'ôter[16] toute occasion aux petits de s'amignarder dedans le sein de leurs mères».

Voilà qui mérite réflexion. Les Gaulois ont bonne 5 réputation; leur exemple n'est point à dédaigner. Mais voyons ce que dit Voltaire:

Père, de[17] vos enfants guidez le premier âge;
Ne forcez point leur goût, mais dirigez leurs pas.

Ah, oui! Comment imiter les Gaulois sans mécontenter 10 Voltaire?

Comme Xénophon,[18] Fénelon assure :«Il est capital de ne leur offrir que de bons modèles. Il ne faut laisser approcher d'eux que des gens dont les exemples soient utiles à suivre.» Vauvenargues, néanmoins, ne craint pas d'affirmer: 15 «L'avarice, l'orgueil ou la timidité des pères enseignent aux enfants l'économie, l'arrogance et la soumission.»

Rousseau, toujours tranchant, déclare: «Émile[19] n'apprendra jamais rien par cœur.» Que fait donc Gargantua,[20] entre les mains de Ponocrates le bon maître? «On lui répétait 20 les leçons du jour d'avant. Lui-même les disait par cœur . . .» Rousseau ne veut pas que l'on exerce la mémoire de son élève. Rabelais traite le sien en[21] gros mangeur: il le bourre

---

[15] **eussent** (imperfect subjunctive of **avoir**) *had.*

[16] **d'ôter toute occasion aux petits de s'amignarder** *to make certain that the little ones do not endear themselves.*

[17] **de vos enfants guidez le premier âge** *guide the tender age of your children.*

[18] Greek historian and philosopher (ca. 430–357 B.C.).

[19] **Émile.** The pupil in *Émile ou De l'Éducation*, a pedagogical novel in which Rousseau expounds his theories of a "natural" education, not handicapped by the demands of an artificial society.

[20] **Gargantua.** A giant in the story of the same name by Rabelais (1494–1553). The book deals with the education of Gargantua. The names of the giant and his creator have become adjectives.

[21] **en gros mangeur** *as a big eater* (that is to say, he has to learn everything).

méthodiquement. Mme de Maintenon [22] transige : «Ne laisser rien apprendre par cœur qui ne soit excellent.» Helvétius [23] voit, dans la dépendance des enfants, «un principe de haine». Vauvenargues juge cette même dépen-
5 dance une cause de tendresse et de gratitude.

J'aime d'entendre [24] dire à Platon : «Nous ne leur parlerons pas des combats des dieux, ni des pièges qu'ils se dressaient les uns aux autres ; aussi bien cela n'est-il pas vrai.» Mais alors, Lamartine [25] a peut-être tort de recom-
10 mander aux enfants la lecture de l'*Odyssée*. [26]

Rousseau réprouve les châtiments corporels. Mme de Maintenon est moins rigoureuse dans la clémence ; elle conseille : «Ne les point corriger mollement, mais user rarement du fouet et, quand on le donne, [27] le faire craindre pour tou-
15 jours . . .» Brrr !

Rousseau répudie les fables : «On fait apprendre les fables de La Fontaine [28] aux enfants, il n'y en a pas un seul qui les entende.» Platon, plus conciliant, admet les fables quand, dit-il, elles ne comportent pas de mensonge : «Choisissons
20 celles qui sont convenables et rejetons les autres.» Montaigne [29] avoue avec bonhomie : «Le premier goût que j'eus

[22] **Mme de Maintenon transige : «Ne laisser rien apprendre par cœur qui ne soit excellent.»** *Mme de Maintenon compromises: " Let only what is excellent be learned by heart.''* Mme de Maintenon (1635–1719) is largely remembered as the wife of Louis XIV (by secret marriage after the death of Marie-Thérèse) and as an educator. She founded the school of Saint-Cyr, near Paris, for the daughters of poor but noble families.

[23] **Helvétius**, Claude-Adrien (1715–1771), French philosopher and literary man.

[24] **J'aime d'entendre dire à Platon** *I like to hear Plato say.* Plato (429–347 B.C.), Greek philosopher, disciple of Socrates.

[25] **Lamartine**, Alphonse de (1790–1869), poet and statesman.

[26] **l'Odyssée** *the Odyssey*, the epic poem, attributed to Homer, which describes the ten years' wandering of Ulysses (Odysseus) in coming home from Troy.

[27] **quand on le donne, le faire craindre pour toujours** *when one uses it* (the whip), *make it feared forever.*

[28] **La Fontaine**, Jean de (1621–1695), poet, best known for his *Fables*, one of the chief treasures of French poetry.

[29] **Montaigne**, Michel de (1533–1592), creator of the essay, has had incalculable influence on world literature. Emerson said of him : "There have

aux livres, il me vint du plaisir des fables de la métamorphose [30] d'Ovide. Car environ l'âge de sept ou huit ans, je me
dérobais de tout autre plaisir pour les lire.»

Ne croyez point que, recopiant ces textes, je me livre au
plaisir pervers d'opposer des esprits excellents dont la 5
sagesse ne laisse [31] point d'étonner le monde. Ils ont tous et
toujours raison, et surtout quand ils ne sont pas d'accord.
L'humanité est ainsi faite que des vérités morales apparemment contradictoires sont, quand même, des vérités . . . .

C'est le goût des généralisations qui fait perdre à l'obser- 10
vateur tout le fruit de sa patience.

Je m'efforcerai d'éviter ce noble travers. J'écoute, je regarde et je ne donne point de règle, car ce qui est bon pour
les miens n'est peut-être pas bon pour d'autres.

Mais, crois-moi, mon ami, n'achète pas de vêtements tout 15
faits. Observe tes enfants, apprends à les connaître et
habille-les [32] sur mesure. —*Les Plaisirs et les jeux*

PENSÉES DIVERSES

1. En général ne substituez jamais le signe à la chose; car le
   signe absorbe l'attention de l'enfant, et lui fait oublier la
   chose représentée. —Rousseau
2. Nous ne voyons pas les choses mêmes; nous nous bornons le
   plus souvent à lire les étiquettes collées sur elles. —Bergson
3. Dans l'éducation, je considère comme certain que l'on cultive
   trop la mémoire. Cela ne vient-il pas de la paresse et de la
   routine des professeurs? Peut-être aussi de l'incapacité où
   ils seraient de cultiver *jugement* et *imagination*.—Vigny

---

been men with deeper insight; but one would say, never a man with such
abundance of thoughts.''

[30] **la métamorphose d'Ovide** *"Metamorphoses" of Ovid* (Roman poet,
43 B.C.–17 A.D.), a narrative poem recounting Greek and Roman legends of
changes of form—from the formation of the world out of chaos to the trans-
formation of Julius Caesar into a star.

[31] **ne laisse point d'étonner le monde** *is still the wonder of the world.*

[32] **habille-les sur mesure** *make them wear clothes made to measure* (that
is to say, general rules about how to raise children may not apply to your
own children).

4. Les grandes personnes[33] ne comprennent jamais rien toutes
seules, et c'est fatigant, pour les enfants, de toujours et toujours leur donner des explications. —Saint-Exupéry[34]

EXERCICES

I. Répondez en français :
1. A qui Duhamel a-t-il fait visite?
2. Qu'est-ce qu'il leur a demandé?
3. De qui le bonheur de ses petits hommes dépend-il?
4. L'enfance de M. Simon a-t-elle été heureuse?
5. Un des amis de Duhamel a reçu une gifle de son père.
Pourquoi ne l'a-t-il pas oubliée?
6. Nommez quelques écrivains qui se sont occupés de l'éducation des enfants.
7. Tous les écrivains cités par Duhamel sont-ils d'accord?
8. Quel noble travers Duhamel s'efforcera-t-il d'éviter?
9. Expliquez le sens figuré (*figurative*) de la phrase : n'achète
pas de vêtements tout faits.

II. Apprenez par cœur :

toutefois	parfois	aussi bien (cf. aussi bien que)
laisser tomber	quand même	être d'accord
se connaître à		

III. Traduisez sans regarder le texte ni le vocabulaire :
1. Il a posé, dès le seuil : «La certitude d'abord.»
2. Leur bonheur, voilà ce qui m'occupe.
3. Je viens de rencontrer M. Simon.
4. J'ai de beaux souvenirs d'enfance.
5. On ne m'a jamais refusé qu'une chose.
6. La gifle unique est un événement mémorable.
7. Je vous ai lus. J'y ai pris plaisir.
8. Voilà qui mérite réflexion.
9. Aussi bien cela n'est pas vrai.
10. On fait apprendre les fables de La Fontaine aux enfants.
11. Ils ont tous et toujours raison, surtout quand ils ne sont
pas d'accord.
12. Nous ne voyons pas les choses mêmes.

[33] **Les grandes personnes** *Adults.*
[34] **Saint-Exupéry,** Antoine de (1900–1944), aviator and writer.

La Forêt de myrtes

ANATOLE FRANCE

I

J'avais été un enfant très intelligent, mais, vers dix-sept ans, je devins stupide. Ma timidité était telle alors, que je ne pouvais ni saluer ni m'asseoir en compagnie, sans que[1] la sueur me mouillât le front. La présence des femmes me jetait dans une sorte d'effarement. J'observais à la lettre ce 5 précepte de l'*Imitation de Jésus-Christ*,[2] qu'on m'avait appris dans je ne sais[3] quelle basse classe et que j'avais retenu parce que les vers, qui sont de Corneille, m'en[4] avaient semblé bizarres :

Fuis avec un grand soin la pratique[5] des femmes . . .   10

Je suivais le conseil du vieux moine mystique ; mais, si je le suivais, c'était bien malgré moi . . .

Parmi les amies de ma mère, il[6] en était une auprès de laquelle j'aurais particulièrement aimé me tenir et causer longtemps. C'était la veuve d'un pianiste mort jeune et 15

[1] **sans que la sueur me mouillât le front** *without perspiration wetting my forehead.*

[2] **l'Imitation de Jésus-Christ** *The Imitation of Christ,* a widely read book attributed to Thomas à Kempis (1380–1471), a German monk, and translated from the original Latin into French by the great dramatic poet, Pierre Corneille (1606–1684).

[3] **dans je ne sais quelle basse classe** *in some elementary class or other.*

[4] **en** may be omitted here.

[5] **la pratique des femmes** *associating with women.*

[6] **il en était** = il y en avait. In literary French il est and il était are very often used instead of il y a and il y avait.

célèbre, Adolphe Gance. Elle se nommait Alice. Je n'avais
jamais bien vu ni ses cheveux, ni ses yeux, ni ses dents . . .
Comment bien voir ce qui flotte, brille, étincelle, éblouit?
mais elle me semblait plus belle que le rêve et d'un éclat
5 surnaturel. Ma mère avait coutume de dire qu'à[7] les détailler les traits de madame Gance n'avaient rien d'extra-
ordinaire. Chaque fois que ma mère exprimait ce sentiment,
mon père secouait la tête avec incrédulité. C'est[8] qu'il faisait
sans doute comme moi, cet excellent père : il ne détaillait pas
10 les traits de madame Gance. Et, quel[9] qu'en fût le détail,
l'ensemble en était charmant. N'en[10] croyez point maman ;
je vous assure que madame Gance était belle. Madame
Gance m'attirait : la beauté est une douce chose ; madame
Gance me faisait peur : la beauté est une chose terrible.
15 Un soir que mon père recevait quelques personnes,
madame Gance entra dans le salon avec un air de bonté qui
m'encouragea un peu. Elle prenait[11] quelquefois, au milieu
des hommes, l'air d'une reine qui jette à manger aux petits
oiseaux. Puis, tout à coup, elle affectait une attitude
20 hautaine ; son visage se glaçait et elle agitait son mouchoir
parfumé, comme pour chasser au loin le dégoût qui l'en-
veloppait. Je ne m'expliquais [comprenais] pas cela. Je
me l'explique aujourd'hui parfaitement : madame Gance
était coquette, voilà tout.
25 Je vous disais donc qu'en entrant dans le salon ce soir-là,
elle jeta à tout le monde et même au plus humble, qui était
moi, quelque miette de son sourire. Je ne la quittai[12] point
du regard et je crus surprendre dans ses beaux yeux une expression de tristesse ; j'en fus bouleversé. C'est que, voyez-
30 vous, j'étais une bonne créature. On la pria de jouer au[13]

---

[7] **à les détailler** *to consider them separately.*
[8] **C'est que** *It is because, the reason is that.*
[9] **quel qu'en fût le détail** *whatever the detail might be.*
[10] **en** *about it.* This word may also be omitted in translation.
[11] **prenait** *assumed, took on.*
[12] **Je ne la quittai point du regard** *I did not take my eyes away from her at all.*
[13] **au piano** *at the piano.* (*To play the piano* = **jouer du piano.**)

piano. Elle joua un nocturne de Chopin;[14] je n'ai jamais rien
entendu de si beau. Je croyais sentir les doigts mêmes
d'Alice, ses doigts longs et blancs, dont[15] elle venait d'ôter
les bagues, effleurer mes oreilles d'une céleste caresse.

Quand elle eut fini, j'allai d'instinct et sans y[16] penser la 5
ramener à sa place et m'asseoir auprès d'elle. En sentant les
parfums de son sein, je fermai les yeux. Elle me demanda si
j'aimais la musique; sa voix me donna le frisson. Je rouvris
les yeux et je vis qu'elle me regardait; ce regard me perdit.[17]

—Oui, monsieur, répondis-je dans mon trouble . . .[18] 10
Puisque la terre ne s'entr'ouvrit pas en ce moment pour
m'engloutir, c'est que la nature est indifférente aux vœux
les plus ardents des hommes.

Je passai la nuit dans ma chambre à m'appeler idiot et
brute et à me donner des coups de poing par le visage. Le 15
matin, après avoir longuement réfléchi, je ne me réconciliai
pas avec moi-même. Je me disais: «Vouloir exprimer à une
femme qu'elle est belle, qu'elle est plus que belle et qu'elle
sait tirer du piano des soupirs, des sanglots et des larmes
véritables, et ne pouvoir lui dire que ces deux mots: *Oui,* 20
monsieur, c'est être dénué plus que de[19] raison du don d'exprimer sa pensée. Pierre Nozière,[20] tu es un infirme, va te
cacher!»

Hélas! je ne pouvais pas même me cacher tout à fait.
Il me fallait paraître en classe, à table, en promenade. Je 25
cachais mes bras, mes jambes, mon cou, comme[21] je pouvais.
On me voyait encore et j'étais bien malheureux. Avec mes

[14] **Chopin**, Frédéric-François (1810–1849), the famous Franco-Polish
pianist and composer.
[15] **dont elle venait d'ôter les bagues** *from which she had just removed her
rings.*
[16] **y** *of it.*
[17] **me perdit** *was the ruin of me.*
[18] **trouble** *emotion.*
[19] **plus que de raison** *more than it is reasonable.*
[20] In *Le Livre de mon ami*, the autobiographical story from which this
selection is taken, Anatole France (pen name of François-Anatole Thibault)
calls himself Pierre Nozière.
[21] **comme je pouvais** *the best I could.*

camarades, j'avais au moins la ressource de donner et de recevoir des coups de poing; c'est une attitude, cela. Mais
avec les amies de ma mère, j'étais pitoyable. J'éprouvais la
bonté de ce précepte de l'*Imitation* :

5   Fuis avec un grand soin la pratique des femmes . . .

—Quel conseil salutaire, me disais-je. Si j'avais fui
madame Gance dans cette soirée funeste où, jouant un nocturne avec tant de poésie, elle fit passer dans l'air je ne sais
quels frissons; si je l'avais fuie alors, elle ne m'aurait pas
10 dit : «Aimez-vous la musique?» et je ne lui aurais pas ré-
pondu : «Oui, monsieur».

Ces deux mots : «Oui, monsieur», me tintaient sans cesse
aux oreilles. Le souvenir [22] m'en était toujours présent ou
plutôt, par un horrible phénomène de conscience, [23] il me
15 semblait que, le temps s'étant subitement arrêté, je restais [24]
indéfiniment à l'instant où venait d'être articulée cette
parole irréparable : «Oui, monsieur». Ce n'était pas un remords qui me torturait. Le remords est doux auprès [25] de ce
que je ressentais. Je demeurai dans une sombre mélancolie
20 pendant six semaines, au bout desquelles mes parents eux-
mêmes s'aperçurent que j'étais imbécile.

Ce qui complétait mon imbécillité, c'est que j'avais autant
d'audace dans l'esprit que de timidité dans les manières.
D'ordinaire, l'intelligence des jeunes gens est rude. [26] La
25 mienne était inflexible. Je croyais posséder la vérité. J'étais
violent et révolutionnaire, quand j'étais seul.

Seul, quel gaillard, [27] quel luron je faisais! J'ai bien changé
depuis lors. Maintenant, je n'ai pas trop peur de mes con-

[22] **Le souvenir m'en était toujours présent** *The memory of them never left
me.*

[23] **conscience** *consciousness.*

[24] **je restais indéfiniment à l'instant où venait d'être articulée cette parole
irréparable** *I continued to be (living) indefinitely in the instant in which this
irreparable word had just been articulated.*

[25] **auprès de ce que ressentais** *compared with what I felt.*

[26] **rude** *rough.*

[27] **quel gaillard, quel luron je faisais!** *what a daredevil, what a he-man I
was (faisais literally, acted).*

temporains. Je me mets autant que possible à ma place
entre ceux qui ont plus d'esprit que moi et ceux qui en ont
moins, et je compte sur l'indulgence des premiers. Par
contre, je ne suis plus trop rassuré en face [28] de moi-même
. . . Mais je vous conte une histoire de ma dix-septième 5
année. Vous concevez qu'alors cette timidité et cette audace
mêlées faisaient de moi un être tout à fait absurde.

Six mois après l'affreuse aventure que je vous ai dite, et
ma rhétorique [29] étant terminée avec quelque honneur, mon
père m'envoya passer les vacances au [30] grand air. Il me re- 10
commanda à un de ses plus humbles et de ses plus dignes
confrères, à un vieux médecin de campagne, lequel prati-
quait à Saint-Patrice.

C'est là que j'allai. Saint-Patrice est un petit village de la
côte normande qui s'adosse à une forêt et descend douce- 15
ment vers une plage de sable, resserrée entre deux falaises.
Cette plage était alors sauvage et déserte. La mer, que je
voyais pour la première fois, et les bois, dont le calme était
si doux, me causèrent d'abord une sorte de ravissement. Le
vague [31] des eaux et des feuillages était en harmonie avec le 20
vague de mon âme. Je courais à cheval dans la forêt; je me
roulais à demi nu sur la grève, plein du désir de quelque
chose d'inconnu que je devinais partout et que je ne trouvais
nulle part.

Seul tout le jour, je pleurais sans cause; il m'arrivait quel- 25
quefois de sentir tout à coup mon cœur se gonfler si fort, que
je croyais mourir. Enfin, j'éprouvais un grand trouble; mais
est-il [32] en ce monde un calme qui vaille l'inquiétude que

---

[28] **en face de moi-même** *face-to-face with myself* (*in regard to myself*).
[29] **ma rhétorique étant terminée avec quelque honneur** *my last year of
college having ended with fair success.* In French secondary schools (collèges
and lycées), the last year of the classical course is designated by one of the
subjects studied, rhetoric. Formerly the entire year was devoted to rhetoric;
now the program has been enlarged.
[30] **au grand air** *in the open air, in the country.*
[31] **Le vague** *The vagueness* (the indeterminate appearance). At the end
of the sentence **le vague** means *the yearning.*
[32] **est-il . . . un calme qui vaille** *is there . . . a calm comparable* (good
enough for).

sentais? Non. J'en atteste les bois dont les branches cin-
glaient mon visage; j'en atteste la falaise où j'allais voir le
soleil descendre dans la mer, rien ne vaut [33] le mal dont
j'étais alors tourmenté, rien ne vaut les premiers rêves des
5 hommes! Si le désir embellit toutes les choses sur lesquelles
il se pose, le désir de l'inconnu embellit l'univers.

J'ai toujours eu, avec assez de finesse, d'étranges naïvetés.
J'aurais peut-être ignoré pendant bien des jours encore la
cause de mon trouble et de mes vagues désirs. Mais un poète
10 me la révéla.

J'avais pris aux poètes, dès le collège, un goût que j'ai
heureusement gardé. A dix-sept ans, j'adorais Virgile [34] et je
le comprenais presque aussi bien que si mes professeurs ne
me l'avaient pas expliqué. En vacances, j'avais toujours un
15 Virgile dans ma poche. C'était un méchant [35] petit Virgile
anglais de Bliss; [36] je l'ai encore. Je le garde aussi précieuse-
ment qu'il m'est possible de garder quelque chose; des fleurs
desséchées s'en échappent à chaque fois que je l'ouvre. Les
plus anciennes de ces fleurs viennent de ce bois de Saint-
20 Patrice où j'étais si heureux et si malheureux à dix-sept ans.

Or, un jour que je passais seul à l'orée de ce bois, respirant
avec délices l'odeur des foins coupés, tandis que le vent qui
soufflait de la mer mettait du sel sur mes lèvres, j'éprouvai
un invincible sentiment de lassitude, je m'assis à terre et
25 regardai longtemps les nuages du ciel.

Puis, par habitude, j'ouvris mon Virgile et je lus: *Hic,* [37]
quos durus amor . . .

«Là, ceux qu'un impitoyable amour a fait périr en une
langueur cruelle vont [38] cachés dans des allées mystérieuses,
30 et la forêt de myrtes étend son ombrage alentour . . .»

[33] **rien ne vaut le mal** *nothing is comparable to the suffering.*
[34] **Virgile** *Virgil,* the great Latin poet (71–19 B.C.), author of *The Aeneid,*
which tells of the founding of Rome by Aeneas.   [35] **méchant** *cheap.*
[36] This is probably the name of an English publisher who, about 1830,
printed inexpensive editions of the classics.
[37] *Hic, quos durus amor . . ., Aeneid,* VI, 442, a description of the abode
of unhappy lovers in Hades (Hell).
[38] **vont cachés** (freely rendered) *are hidden.*

«Et la forêt de myrtes étend son ombrage . . .» Oh! je la connaissais, cette forêt de myrtes; je l'avais en moi tout entière. Mais je ne savais pas son nom. Virgile venait de me révéler la cause de mon mal. Grâce à lui, je savais que j'aimais. 5

Mais je ne savais pas encore qui j'aimais. Cela me fut révélé l'hiver suivant, quand je revis madame Gance. Vous êtes sans doute plus perspicace que je ne[39] fus. Vous l'avez deviné, c'est Alice que j'aimais. Admirez[40] cette fatalité! J'aimais précisément la femme devant laquelle je m'étais 10 couvert de ridicule et qui devait[41] penser de moi pis même que du mal. Il y avait de quoi se désespérer . . .

Mon bonheur même était cruel: c'était de voir et d'entendre Alice et de penser: «Elle est la seule femme au monde que je puisse[42] aimer; je suis le seul homme qu'elle ne 15 puisse souffrir.» Quand elle déchiffrait au piano, je tournais les pages en regardant les cheveux légers qui se jouaient sur son cou blanc. Mais, pour ne pas m'exposer à lui dire encore une fois: «Oui, monsieur», je fis le vœu[43] de ne plus lui adresser la parole. Des changements survinrent bientôt dans 20 ma vie et je perdis Alice de vue sans avoir violé mon serment.

II

J'ai retrouvé madame Gance aux[44] eaux, dans la montagne, cet été. Un demi-siècle pèse aujourd'hui sur la beauté 25 qui me donna mes premiers troubles, et les plus délicieux. Mais cette beauté ruinée a de la grâce encore. Je me relevai[45]

[39] Why is this *ne* redundant?

[40] **Admirez cette fatalité!** *Wonder at my luck!* (literally, *wonder at this fate!*)

[41] **devait penser de moi pis même que du mal** *must have thought I was even worse than a fool.* **Penser du mal de** *to have a poor opinion of.*

[42] **puisse** (present subjunctive of **pouvoir**) *can.*

[43] **je fis le vœu de ne plus lui adresser la parole** *I resolved (vowed) not to speak to her anymore.*

[44] **aux eaux** *at a watering resort* (something like Hot Springs, Arkansas).

[45] **Je me relevai moi même en cheveux gris du vœu de mon adolescence** *Grey-haired now, I released myself of the vow of my adolescence* (the vow not to talk to her anymore).

moi-même en cheveux gris du vœu de mon adolescence :
—Bonjour, madame, dis-je à madame Gance.
Et, cette fois, hélas! l'émotion des jeunes années ne
troubla ni mon regard ni ma voix.

5 Elle me reconnut sans trop de peine. Nos souvenirs nous
unirent et nous nous aidâmes l'un l'autre à charmer par des
causeries la vie banale de l'hôtel.

Bientôt des liens nouveaux se formèrent d'eux-mêmes
entre nous, et ces liens ne seront que trop solides : c'est la
10 communauté des fatigues et des peines qui les forme. Nous
causions tous les matins, sur un banc vert, au soleil, de nos
rhumatismes et de nos deuils. C'était matière[46] à longs
propos. Pour nous divertir, nous mélangions le passé au
présent.

15 —Que[47] vous fûtes belle, lui dis-je un jour, madame, et
combien admirée!

—Il est vrai, me répondit-elle en souriant. Je puis le dire,
maintenant que je suis une vieille femme; je plaisais.[48] Ce
souvenir me console de vieillir. J'ai été l'objet d'hommages
20 assez flatteurs. Mais je vous surprendrais bien si je vous
disais quel est, de tous les hommages, celui qui m'a le plus
touchée.

—Je suis curieux de le savoir.

—Eh bien, je vais vous le dire. Un soir (il y a bien long-
25 temps), un petit collégien éprouva en me regardant un tel
trouble qu'il répondit : *Oui, monsieur!* à une question que je
lui faisais. Il n'y a pas de marque d'admiration qui m'ait[49]
autant flattée et mieux contentée que ce «Oui, monsieur!»
et l'air dont il était dit. Je ne sais ce qui m'a retenue d'em-
30 brasser[50] ce gamin-là sur les deux joues.—*Le Livre de mon
ami*

---

[46] **matière à longs propos** *a subject (which lends itself) to long conversations.*
[47] **Que.** When que introduces an exclamation, it usually means *how* (cf. comme . . . !).
[48] **je plaisais** *people liked me.*
[49] **ait** (pres. subjunctive of **avoir**) *has.*
[50] **d'embrasser ce gamin-là** *from kissing that youngster.*

PENSÉES DIVERSES

1. La coquetterie est le fond [51] de l'humeur des femmes; mais toutes ne la mettent pas en pratique, parce que la coquetterie de quelques-unes est retenue par la crainte ou par la raison. —La Rochefoucauld
2. L'amour est une bonté sublime.
   Le travail est un oubli, mais un oubli actif qui convient à une âme forte.
   Aimer, inventer, admirer, voilà la vie. —Vigny
3. Amitié! O belle aventure, plus mystérieuse que l'amour. —Duhamel

EXERCICES

I. Répondez en français :
   1. Quel effet la présence des femmes produisait-elle sur Pierre (Anatole France)?
   2. Que disait la mère de Pierre en parlant de Mme Gance?
   3. Que faisait alors son père?
   4. Quelles sont les idées d'Anatole France sur la beauté?
   5. Quel air prenait Mme Gance quelquefois au milieu des hommes?
   6. Que joua-t-elle au piano?
   7. Quand elle eut fini de jouer du piano, Pierre la ramena à sa place et s'assit auprès d'elle. Qu'est-ce qu'elle lui demanda?
   8. Quelle fut la réponse de Pierre?
   9. Comment passa-t-il la nuit de cet incident?
   10. Combien de temps dura sa mélancolie?
   11. Chez qui son père l'envoya-t-il?
   12. Où se trouve Saint-Patrice?
   13. Comment Pierre passait-il son temps à Saint-Patrice?
   14. Quel poète latin adorait-il?
   15. Qu'est-ce que Virgile lui révéla?
   16. Pourquoi son bonheur était-il cruel?
   17. Quel vœu fit-il enfin?
   18. Où et quand a-t-il retrouvé Mme Gance?
   19. De quoi parlaient-ils?

[51] **le fond de l'humeur** *the basis of the temperament.*

20. Quelle marque d'admiration avait flatté Mme Gance le plus?

II. Apprenez par cœur:

sans que	**encore une fois**	**par contre**
malgré	**lors** (cf. **lors de**)	**que** ...! (cf. **comme** ...!)
c'est que	**tout le jour** (cf. **tous**	**or**
puisque	**les jours**)	

III. Traduisez sans regarder le texte ni le vocabulaire:

1. On me l'avait appris dans je ne sais quelle basse classe.
2. Parmi les amies de ma mère, il en était une auprès de laquelle j'aurais aimé me tenir.
3. Mon père secouait la tête; c'est qu'il faisait comme moi.
4. Elle prenait l'air d'une reine qui jette à manger aux oiseaux.
5. Je ne la quittais point du regard.
6. Je croyais sentir les doigts mêmes d'Alice, dont elle venait d'ôter les bagues.
7. J'allai d'instinct et sans y penser la ramener à sa place.
8. Ce regard me perdit.
9. Je ne pouvais pas même me cacher tout à fait.
10. [Ces deux mots]: Le souvenir m'en était toujours présent.
11. Le remords est doux auprès de ce que je ressentais.
12. Il m'envoya passer les vacances au grand air.
13. J'étais seul tout le jour.
14. Il m'arrivait quelquefois de sentir mon cœur se gonfler.
15. Rien ne vaut le mal dont j'étais alors tourmenté.
16. J'aurais ignoré pendant bien des jours encore la cause de mon trouble.
17. J'avais pris aux poètes, dès le collège, un goût que j'ai gardé.
18. Je fis le vœu de ne plus lui adresser la parole.
19. Elle me reconnut sans trop de peine.
20. Que vous fûtes belle!
21. La coquetterie est le fond de l'humeur des femmes.

Le Vrai Problème américain

SIEGFRIED

would be inclined to conclude   is enjoying at the present

Je serais porté[1] à conclure que les États-Unis bénéficient[2]
actuellement de leur maximum de possibilités : ils ont encore pleinement leur dynamisme du XIXᵉ siècle et en même
temps tòute l'efficacité du XXᵉ. La seconde guerre mondiale
a montré sans conteste qu'ils étaient à la fois capables 5
d'imagination créatrice et d'organisation. S'adaptant à des
conditions entièrement nouvelles, le peuple américain a su[3]
en effet concevoir la guerre sans aucune routine, sans
rigidité : il a créé des armées convenant[4] aux exigences, sans
précédent historique, soit des transports, soit de l'adminis- 10
tration ou du maniement des masses. Il fallait[5] des qualités
presque contradictoires, dans lesquelles la souplesse coïncidât[6] avec l'ordre : moment peut-être unique, où[7] l'élan de
l'âge individualiste anime encore l'armature déjà élaborée
de l'âge mécanique. 15
Le danger pourrait être, pour demain, que l'organisation

[1] **Je serais porté à conclure** *I would be inclined to conclude.* You are
reading the concluding section of *Le Dynamisme américain,* a chapter in
L'Âme des peuples (1950).
[2] **bénéficient actuellement** *is enjoying at the present time.* **Bénéficient** is
plural. Why?
[3] **a su** *was (were) able, knew how.*
[4] **convenant aux exigences** *in accordance with the exigencies* (pressing
demands).
[5] **Il fallait** *It took, it required.*
[6] **coïncidât** *coincided.*
[7] **où l'élan de l'âge individualiste anime encore l'armature déjà élaborée
de l'âge mécanique** *in which the élan of the individualistic age still animates
the already developed structure of the mechanical age.* **Élan** cannot be ade-
quately translated. A close approximation would be *incentive* or *drive.*

prenne[8] le pas sur l'individu. Dès maintenant, on discerne
un divorce entre l'idéologie du XVIIIᵉ siècle, toujours pro-
clamée, et la structure collective du machinisme, qu'insidieusement[9] le XXᵉ impose chaque jour davantage.
5 «L'homme croit souvent se conduire lorsqu'il est conduit;
et pendant que par son esprit il tend à un but, son cœur
l'entraîne insensiblement à un autre.» Cette maxime de La
Rochefoucauld, simplement transposée, s'applique exacte-
ment à la psychologie américaine, car elle se trouve à la
10 croisée des chemins. Dans un significatif article de *Foreign
Affairs* (juillet 1949) M. Gerold Tanquary Robinson a forte-
ment analysé l'*ideological combat* qui se livre[10] à cet égard
aux États-Unis. Le pays, écrit-il, aborde la crise de 1949
avec l'équipement militaire de 1950, mais avec l'équipement
15 idéologique de 1775! Il y a conflit entre le testament des
pères de la Constitution et les méthodes qui, de plus en plus,
s'établissent[11] dans la pratique américaine. L'idéologie individualiste et libérale de la tradition ne cadre plus avec les
exigences d'une société désormais presque totalement
20 industrialisée.

Au XIXᵉ siècle, une forte proportion des Américains
étaient en mesure[12] d'exercer sur leur activité quotidienne
un contrôle effectif: pionniers, cultivateurs, producteurs
non encore absorbés par les trusts se préoccupaient de
25 limiter l'intrusion de l'État dans leur vie privée, plutôt que
de demander à celui-ci d'assumer de nouvelles charges: démocratie signifiait individualisme et décentralisation. Au XXᵉ
siècle, l'industrie mécanisée semble exiger au contraire que
les hommes travaillent[13] par masses, sous une discipline[14]

---

[8] **prenne le pas sur l'individu**   *may push the individual into the back-
ground.*

[9] **qu'insidieusement le XXᵉ impose chaque jour davantage**   *which the
20th insidiously imposes more (and more) each day.*

[10] **qui se livre à cet égard**   *which is taking place in this respect.*

[11] **s'établissent**   *are being adopted.*

[12] **en mesure d'**   *in a position to.* Do not confuse this with **à mesure que.**

[13] **travaillent par masses**   *should work in masses.* Travaillent is present
subjunctive.

[14] **discipline d'ensemble**   *mass discipline.*

d'ensemble, dans des entreprises de plus en plus grandes, et
le rythme du travailleur se règle sur celui de la machine.
Réduit à l'impuissance, l'individu se sent incité à recourir à
l'État, quitte à accepter sa discipline sociale, et c'est le *New
Deal*, le *Fair Deal*, le *Welfare State*. D'une formule frap- 5
pante, M. Robinson suggère que la technologie est mère de
la grande entreprise, grand-mère de l'intervention étatiste,
et, parallélisme inquiétant, la recherche[15] de l'efficacité conduit sur la même pente collectiviste, à Pittsburgh et à
Magnitogorsk. 10

L'Amérique n'a pas eu[16] à se plaindre de ce régime,
générateur d'un niveau de vie supérieur et d'une journée de
travail plus courte, mais le prix de ces avantages a été la
disparition[17] de millions de fermiers ou d'artisans, hier
indépendants, devenus serviteurs disciplinés de la machine. 15
L'idéologie nationale demeure cependant celle d'il y a cent
cinquante ans : individualisme, initiative, liberté, concurrence ; et l'Américain, de bonne foi, y[18] reste sincèrement
attaché, mais, «pendant que par son esprit il tend à un but»,
selon l'expression du moraliste, tout le courant de l'époque 20
«l'entraîne insensiblement à un autre». Voilà sans doute le
vrai problème américain, et c'est aussi celui de tout l'Occident. —*L'Âme des peuples*

PENSÉES DIVERSES

1. Le paradoxe de l'Amérique moderne, c'est qu'au milieu d'une
   prospérité sans exemple elle conserve l'esprit du pionnier. Le
   banquier, l'éditeur,[19] le journaliste vivent, ici comme s'ils
   défrichaient des forêts. C'est leur faiblesse et c'est leur
   grandeur. —Maurois (à l'occasion de sa première visite aux
   États-Unis en 1927)

[15] **la recherche de l'efficacité conduit sur la même pente collective, à Pittsburgh et à Magnitogorsk** *the pursuit of efficacy (power to produce) leads to
the same collectivistic tendency in Pittsburgh or Magnitogorsk.* The latter is an
important industrial center in the central Urals, Russia.
[16] **n'a pas eu à se plaindre de** *did not have reason to complain about.*
[17] **disparition** *disappearance.*
[18] **y** *to it.*
[19] **éditeur** *publisher.*

2. L'Américain a un respect sincère de[20] ce qui s'enseigne, il croit à l'éducation, mais il veut qu'elle soit pratique : il la considère moins comme l'acquisition d'une culture que comme un ensemble[21] de recettes . . . il s'incline respectueusement devant la compétence de l'expert. La technique, cette jeune et nouvelle divinité l'emporte sur la culture, déesse en déclin. —Siegfried

3. [Les défauts des Américains?] L'ennui et l'absence de sens critique. Un ennui qu'ils masquent sous leur effroyable activité, mais dont cette activité est le signe. L'Américain est obligé de tuer le temps, d'oublier ses soucis en faisant quantité de choses dont aucune ne le tente et en les faisant très vite. De cette rapidité naît aussi l'absence de sens critique. Toute doctrine nouvelle est aussitôt acceptée . . .

Un Américain très cultivé est identique à un Français très cultivé. —Maurois

4. La seule chose essentielle, pour les hommes, c'est de *tuer le temps*. Dans cette vie dont nous chantons la brièveté sur tous les tons, notre plus grand ennemi, c'est le *temps*, dont nous en avons toujours trop. —Vigny

5. L'ennui est la maladie de la vie.
Pour la guérir, il suffit de peu de chose : *aimer*, ou *vouloir*. —Vigny

EXERCICES

I. Répondez en français :

1. Est-ce que les États-Unis ont perdu leur dynamisme?
2. Qu'est-ce que la seconde guerre mondiale a démontré à l'égard des Américains?
3. Comment le peuple américain a-t-il conçu la guerre?
4. Quel pourrait être le danger pour demain?
5. Qu'est-ce qu'on discerne dès maintenant?
6. La maxime de La Rochefoucauld citée par Siegfried est-elle applicable à la psychologie américaine?
7. Comment le peuple américain a-t-il abordé la crise de 1949?

[20] **de ce qui s'enseigne** *for what is taught.*
[21] **un ensemble de recettes** *a collection of recipes* (or *ready-made answers*).

8. Les Américains du XIXe siècle permettaient-ils facilement l'intrusion de l'État dans leur vie privée?
9. Pourquoi au XXe siècle l'individu se sent-il incité à recourir à l'État?
10. La machine a produit un niveau de vie supérieur et une journée de travail plus courte. Quel a été le prix de ces avantages?
11. Quel est le vrai problème américain?

II. Apprenez par cœur :

     soit . . . soit   **désormais**
     à cet égard   **se plaindre de**
     se trouver

III. Traduisez sans regarder le texte ni le vocabulaire :

1. Les États-Unis bénéficient actuellement de leur maximum de possibilités.
2. La guerre a montré que les États-Unis étaient à la fois capables d'imagination créatrice et d'organisation.
3. Le peuple américain a su en effet concevoir la guerre sans aucune routine.
4. Il fallait des qualités presque extraordinaires pour cela.
5. Cette maxime s'applique à la psychologie américaine, car elle se trouve à la croisée des chemins.
6. Ils étaient en mesure d'exercer sur leur activité quotidienne un contrôle collectif.
7. Il faut qu'ils travaillent par masses, sous une discipline d'ensemble.
8. L'Amérique n'a pas eu à se plaindre de ce régime.
9. La machine a créé une journée de travail plus courte.
10. L'idéologie nationale demeure celle d'il y a cent ans.

IV. Révisez ces faux amis :

     trouble   **humeur**
     souvenir   **actuellement**
     embrasser   **journée**

Poèmes

La Fontaine   Baudelaire

I. LE CORBEAU ET LE RENARD

Maître corbeau, sur un arbre perché,
Tenait en son bec un fromage.
Maître renard, par l'odeur alléché,
Lui[1] tint à peu près ce langage:
«Hé! bonjour, Monsieur du[2] Corbeau.
Que vous êtes joli! que vous me semblez beau!
Sans mentir, si votre ramage[3]
Se rapporte à votre plumage,
Vous êtes le phénix[4] des hôtes de ces bois.»
A ces mots le corbeau ne se sent pas de joie;[5]
Et, pour montrer sa belle voix,
Il ouvre un large bec, laisse tomber sa proie.
Le renard s'en saisit,[6] et dit: «Mon bon monsieur,
Apprenez que tout flatteur
Vit aux dépens de celui qui l'écoute:
Cette leçon vaut bien un fromage, sans doute.»

---

[1] **Lui tint à peu près ce langage** *spoke to him in about these terms.*
[2] **Monsieur de Corbeau** *my Lord.* The fox uses the aristocratic particle
de (here contracted with **le**) to flatter the crow.
[3] **si votre ramage/Se rapporte à votre plumage** *if your singing is as pretty
as your feathers.*
[4] **le phénix des hôtes de ces bois** *the marvel* (or *paragon*) *of the inhabitants
of these woods.*
[5] **ne se sent pas de joie** *is beside himself with joy.*
[6] **s'en saisit** *seizes it.*

Le corbeau, honteux et confus,
Jura, mais un peu tard, qu'on ne l'y prendrait plus.[7]

—La Fontaine, Fables

2. CHANSON DE JEUNES FILLES

A quoi bon [8] entendre
Les oiseaux des bois?
L'oiseau le plus tendre
Chante dans ta voix.

Que [9] Dieu montre ou voile
Les astres des cieux,
La plus pure étoile
Brille dans tes yeux.

Qu' [10] avril renouvelle
Le jardin en fleur!
La fleur la plus belle
Fleurit dans ton cœur.

Cet oiseau de flamme,
Cet astre du jour,
Cette fleur de l'âme,
S'appelle l'amour!

—Hugo, Ruy Blas, Act II, Scene 1

3. TRISTESSE

J'ai perdu ma force et ma vie,
Et mes amis et ma gaîté;
J'ai perdu jusqu'à [11] la fierté
Qui faisait croire [12] à mon génie.

---

[7] **qu'on ne l'y prendrait plus** *that one would no longer trick him that way.*
Y = *by it.*

[8] **A quoi bon entendre** *What's the use hearing.*

[9] **Que** *Whether.*

[10] **Qu'** *Let.*

[11] **jusqu'à** *even.*

[12] **faisait croire.** In translating a causative expression (**faire** + infinitive), it is sometimes necessary to insert some word such as *one, people,* between **faire** and the infinitive.

Quand j'ai connu la Vérité,
J'ai cru que c'était une amie ;
Quand je l'ai comprise et sentie,
J'en étais déjà dégoûté. *disgusted*

Et pourtant elle est éternelle,
Et ceux qui se sont passés d'elle *yet along w. it*
Ici-bas ont tout ignoré.
here below

Dieu parle, il faut qu'on lui réponde.
Le seul bien qui me reste au monde
Est d'avoir quelquefois pleuré.

—Musset,[13] *Poésies nouvelles*

4. LA MORT DU LOUP *wolf*

[Only section III of this important poem is given here.
In the other two parts, Vigny and some fellow hunters
have mortally wounded a wolf. The animal dies without
uttering a cry. From this stoic death, the poet draws a
lesson.]

Hélas! ai-je pensé, malgré ce grand nom d'Hommes, *ashamed weak*
Que j'ai honte de nous, débiles que nous sommes! *dying painlessly*
Comment on doit quitter la vie et tous ses maux, *troubles*
C'est vous qui le savez, sublimes animaux! *bequeaths*
A voir[14] ce que l'on fut sur terre et ce qu'on laisse,[15] *considering*
Seul le silence est grand ; tout le reste est faiblesse.
—Ah! je t'ai bien compris, sauvage voyageur,
Et ton dernier regard m'est allé jusqu'au cœur!
Il disait : «Si tu peux, fais[16] que ton âme arrive, *let your soul reach*
A force de rester[17] studieuse et pensive, *by remaining intent*

---

[13] **Musset, Alfred de** (1810–1857), poet, dramatist, and fiction writer.
[14] **A voir** *considering.*
[15] **laisse** *bequeaths.*
[16] **fais que ton âme arrive** *let your soul reach* (*see to it that your soul reaches*).
[17] **A force de rester studieuse** *by* (or *by dint of*) *remaining intent.*

Jusqu'à ce haut degré de stoïque fierté
Où,[18] naissant dans les bois, j'ai tout d'abord monté.
Gémir, pleurer, prier, est également lâche.
Fais énergiquement ta longue et lourde tâche.
Dans la voie où le sort a voulu t'appeler,
Puis, après, comme moi, souffre et meurs sans parler.»

—Vigny, *Les Destinées*

5. L'ALBATROS

Souvent, pour s'amuser, les hommes d'équipage[19]
Prennent des albatros, vastes oiseaux des mers,
Qui suivent, indolents[20] compagnons de voyage,
Le navire glissant sur les gouffres[21] amers.

A peine les ont-ils déposés sur les planches,
Que ces rois de l'azur, maladroits et honteux,
Laissent[22] piteusement leurs grandes ailes blanches
Comme des avirons traîner à côté d'eux.

Ce voyageur ailé, comme il est gauche et veule!
Lui, naguère si beau, qu'il est comique[23] et laid!
L'un agace son bec avec un brûle-gueule,
L'autre mime, en boitant, l'infirme[24] qui volait!

Le Poète est semblable au prince des nuées
Qui hante la tempête et se rit de l'archer;
Exilé sur le sol[25] au milieu des huées,
Ses ailes de géant l'empêchent de marcher.

—Baudelaire,[26] *Les Fleurs du mal*

[18] Où, naissant dans les bois, j'ai tout d'abord monté   *which, because I was born in the woods, I attained at once.*
[19] d'équipage   *of the crew.*
[20] indolents   *indifferent.*
[21] gouffres amers   *briny (salty) depths.*
[22] Laissent . . . traîner   *drag.*
[23] comique   *grotesque.*
[24] l'infirme   *the crippled.*
[25] Exilé sur le sol   *forced to the earth.*
[26] Baudelaire, Charles (1821–1867), poet and critic.

6. ARIETTES OUBLIÉES

III

Il pleure dans mon cœur
Comme il pleut sur la ville,
Quelle est cette langueur
Qui pénètre mon cœur?

O bruit doux de la pluie
Par terre et sur les toits!
Pour un cœur qui s'ennuie
O le chant de la pluie!

Il pleure sans raison
Dans ce cœur qui s'écœure.[27]
Quoi! nulle trahison?[28]
Ce deuil est sans raison.

C'est bien la pire peine[29]
De ne savoir pourquoi,
Sans amour et sans haine,
Mon cœur a tant de peine!

—Verlaine,[30] *Romances sans paroles*

↘ PENSÉES DIVERSES

1. Un poème n'est pas écrit dans la langue que le poète emploie. La poésie est une langue à part et ne se peut traduire en aucune autre langue, même pas en celle où elle semble avoir été écrite. —Cocteau[31]
2. Les symboles des poètes et des mystiques signifient que les choses sont autre[32] chose. —Drieu La Rochelle[33]

---

[27] **s'écœure**   *is becoming nauseated.*
[28] **nulle trahison?**   *no reason for it?*
[29] **C'est bien la pire peine**   *It's truly the worst grief.*
[30] **Verlaine, Paul** (1844–1896), poet of the symbolistic school.
[31] **Cocteau, Jean** (1889–), poet, novelist, and dramatist.
[32] **autre chose**   *something else* (than they seem).
[33] **Drieu La Rochelle, Pierre** (1893–1945), poet and novelist.

3. La poésie est plus sérieuse et plus utile que le vulgaire ne *common people,* croit.—Fénelon
4. La mission du Poète ou de l'Artiste est de produire, et tout ce qu'il produit est utile, si cela est admiré. —Vigny
5. Dans tout homme d'esprit il y a quelque chose du poète, de *just as* même que dans tout bon liseur il y a le commencement d'un comédien. —Bergson

EXERCICES

I. Répondez en français :

1. Qu'est-ce que le corbeau tenait en son bec? *un fromage.*
2. Pourquoi a-t-il laissé tomber sa proie? *pour montrer sa belle voix.*
3. Quelle leçon le renard lui enseigne-t-il? *tout flatteur vit aux dépens de celui qui l'écoute.*
4. A-t-il appris la leçon?
5. Quel est le thème de *Chanson de jeunes filles*?
6. Le seul bien qui me reste au monde, dit Musset, est d'avoir quelquefois pleuré. Est-ce que Vigny, l'auteur de *La Mort du loup*, pense la même chose?
7. Quelle morale Vigny tire-t-il de la mort du loup?
8. A quoi Baudelaire compare-t-il le poète?
9. Verlaine est-il bien gai?
10. Pourquoi son cœur a-t-il tant de peine?

II. Apprenez par cœur :

jusqu'à (*even, as far as*)	se rire de	tout d'abord
à force de	naguère	de même que
à peine	à côté de	

III. Traduisez sans regarder le texte ni le vocabulaire :

1. Tout flatteur vit aux dépens de celui qui l'écoute.
2. J'ai perdu jusqu'à la fierté qui faisait croire à mon génie.
3. Ceux qui se sont passés de la vérité ont tout ignoré.
4. Que j'ai honte de nous!
5. Fais que ton âme arrive à ce haut degré de fierté.
6. Comme il est gauche!
7. Ses ailes de géant l'empêchent de marcher.
8. La poésie est plus utile que le vulgaire ne croit.

Le Curé
de Cucugnan[1]
DAUDET[2]

Tous les ans, à la Chandeleur,[3] les poètes provençaux
publient en[4] Avignon un joyeux petit livre rempli
jusqu'aux[5] bords de beaux vers et de jolis contes. Celui de
cette année m'arrive à l'instant, et j'y trouve un adorable
5 fabliau que je vais essayer de vous traduire en l'abrégeant
un peu . . . Parisiens, tendez vos mannes. C'est de la fine[6]
fleur de farine provençale qu'on va vous servir cette fois . . .

. . . .

L'abbé Martin était curé . . . de Cucugnan.

---

[1] **Cucugnan.** A fictitious name, suggested perhaps by the Neapolitan
Cuccagna, an imaginary land of honey and idleness.

[2] **Daudet,** Alphonse (1840–1897), poet and dramatist, but best known and
loved for the charming novels and short stories of his native Provence.

[3] **Chandeleur** *Candlemas Day* (February 2).

[4] **en Avignon** = à Avignon (city on the Rhône in Provence). With names
of cities and in a few other cases the Provençaux often use en where classical
French would use à. This story is a free translation of the Provençal story
Lou Curat de Cucugnan by Joseph Roumanille (1818–1891). Daudet has
left a few Provençal expressions for local color.

[5] **rempli jusqu'aux bords de** *filled to the brim with.* Notice this common
meaning of **de.**

[6] **la fine fleur de farine provençale** *the very best Provençal flour.*

Bon comme le pain,[7] franc comme l'or, il aimait pater-
nellement ses Cucugnanais; pour lui, son Cucugnan aurait
été le paradis sur terre, si les Cucugnanais lui avaient donné
un peu plus de satisfaction. Mais, hélas! les araignées filaient
dans son confessionnal, et, le beau jour de Pâques,[8] les 5
hosties restaient au fond de son saint-ciboire. Le bon prêtre
en[9] avait le cœur meurtri, et toujours il demandait à Dieu[10]
la grâce de ne pas mourir avant d'avoir ramené au bercail
son troupeau dispersé.

Or, vous allez voir que Dieu l'entendit. 10

Un dimanche, après l'Évangile,[11] M. Martin monta en
chaire.

. . . .

—Mes frères, dit-il, vous me croirez si vous voulez:
l'autre nuit, je me suis trouvé, moi misérable pécheur, à la
porte du paradis. 15

«Je frappai: saint Pierre m'ouvrit.

«—Tiens! c'est vous, mon brave[12] monsieur Martin, me
fit-il;[13] quel bon vent?...[14] et qu'y a-t-il pour votre
service?

«—Beau saint Pierre, vous qui tenez le grand livre et la 20
clef, pourriez-vous me dire, si je ne suis pas trop curieux,
combien vous avez de Cucugnanais en[15] paradis?

[7] **Bon comme le pain, franc comme l'or** *As good as gold, as frank as a child.* What does it say, literally?

[8] **le beau jour de Pâques** *on the holy (fine) day of Easter.* One of the most important duties of Catholics is to commemorate the resurrection of Christ by receiving the sacraments, but the Cucugnanais neglected all religious duties.

[9] **Le bon prêtre en avait le cœur meurtri** *The good priest's heart bled* (**en, from it,** may be omitted).

[10] **il demandait à Dieu la grâce** *he prayed to the Lord.*

[11] **après l'Évangile** *after reading the Scriptures.*

[12] **brave** *good* or *worthy* (the usual meaning of **brave** before a noun).

[13] **fit-il** *he said.* The verb **faire** is often used instead of **dire** in reporting direct quotations.

[14] **Quel bon vent (vous amène)?** *What lucky chance brings you here (What good wind brings you here)?*

[15] **en paradis** = **au paradis.** Similarly, later, **en purgatoire** = **au purgatoire.**

«—Je n'ài rien à vous refuser, monsieur Martin; asseyez-vous, nous allons voir la chose ensemble.

«—Et saint Pierre prit son gros livre, l'ouvrit, mit ses besicles:

5 «—Voyons un peu: Cucugnan, disons-nous. Cu ... Cu ... Cucugnan. Nous y[16] sommes. Cucugnan ... Mon brave monsieur Martin, la page est toute blanche. Pas une âme ... Pas plus de Cucugnanais que d'arêtes dans une dinde.

«—Comment! Personne de Cucugnan ici? Personne? Ce 10 n'est pas possible! Regardez mieux ...

«—Personne, saint homme. Regardez vous-même, si vous croyez que je plaisante.

«—Moi, pécaïre![17] je frappais[18] des pieds, et, les mains jointes, je criais miséricorde! Alors, saint Pierre:

15 «—Croyez-moi, monsieur Martin, il ne faut pas ainsi vous[19] mettre le cœur à l'envers, car vous pourriez en avoir quelque mauvais coup de sang. Ce n'est pas votre faute, après tout. Vos Cucugnanais, voyez-vous, doivent faire à coup sûr leur petite quarantaine en purgatoire.

20 «—Ah! par charité, grand saint Pierre! faites que[20] je puisse au moins les voir et les consoler.

«—Volontiers,[21] mon ami ... Tenez, chaussez vite ces sandales, car les chemins ne sont pas beaux[22] de reste ... Voilà qui est bien ... Maintenant, cheminez droit devant 25 vous. Voyez-vous là-bas, au fond,[23] en tournant? Vous trouverez une porte d'argent toute constellée de croix noires ... à main droite ... Vous frapperez, on vous ouvrira ... Adessias![24] Tenez-vous sain et gaillardet.

[16] **Nous y sommes** *Here we are.*

[17] **Moi, pécaïre!** *Poor me!* (a Provençal interjection).

[18] **je frappais des pieds** *I stamped my feet.*

[19] **il ne faut pas ainsi vous mettre le cœur à l'envers, car vous pourriez en avoir quelque mauvais coup de sang** *you should not get so upset, for you could get a stroke.*

[20] **faites que je puisse** *permit me to.*

[21] **Volontiers** *Gladly.*

[22] **ne sont pas beaux de reste** *are far from being good (are not good by a great deal).*

[23] **au fond, en tournant** *in the distance, around the bend.*

[24] **Adessias! Tenez-vous sain et gaillardet** *Farewell! Be hale and hearty.* **Adessias!** = **Adieu!**

. . . .

«Et je cheminai . . . je cheminai! Quelle battue![25] j'ai la
chair de poule, rien que d'y songer. Un petit sentier, plein de
ronces, d'escarboucles qui luisaient et de serpents qui
sifflaient, m'amena jusqu'à la porte d'argent.

«—Pan! pan!   5

«—Qui frappe? me fait une voix rauque et dolente.

«—Le curé de Cucugnan.

«—De . . .?

«—De Cucugnan.

«—Ah! . . . Entrez.   10

«J'entrai. Un grand bel ange, avec des ailes sombres
comme la nuit, avec une robe resplendissante comme le jour,
avec une clef de diamant pendue à sa ceinture, écrivait,
cra-cra, dans un grand livre plus gros que celui de saint
Pierre . . .   15

«—Finalement,[26] que voulez-vous et que demandez-vous?
dit l'ange.

«—Bel ange de Dieu, je veux savoir,—je suis bien curieux
peut-être,—si vous avez ici les Cucugnanais.

«—Les . . .?   20

«—Les Cucugnanais, les gens de Cucugnan . . . que[27]
c'est moi qui suis leur prieur.

«—Ah! l'abbé Martin, n'est-ce pas?

«—Pour vous servir, monsieur ange.

«—Vous dites donc Cucugnan . . .   25

«Et l'ange ouvre et feuillette son grand livre, mouillant
son doigt de salive pour que le feuillet glisse mieux . . .

«—Cucugnan, dit-il en poussant un long soupir . . . Monsieur Martin, nous n'avons en purgatoire personne de
Cucugnan.   30

«—Jésus! Marie! Joseph! personne de Cucugnan en purgatoire! O grand Dieu! où sont-ils donc?

---

[25] **Quelle battue! j'ai la chair de poule, rien que d'y songer** *What a weari-
some journey! I have goose flesh at the mere thought of it (merely to think of it).*
[26] **Finalement** (colloquial here) *well, now.*
[27] **que** *for.*

«—Eh! saint homme, ils sont en paradis. Où diantre voulez-vous [28] qu'ils soient?

«—Mais j'en viens, du paradis . . .

«—Vous en venez! . . . Eh bien!

5 «—Eh bien! ils n'y sont pas! . . . Ah! bonne mère des anges! . . .

«—Que voulez-vous, monsieur le curé! s'ils ne sont ni en paradis ni en purgatoire, il n'y a pas de milieu, ils sont . . .

«—Sainte-Croix! Jésus, fils de David! Aï! aï! aï! est-il pos-
10 sible? . . . Serait-ce [29] un mensonge du grand saint Pierre?
. . . Pourtant je n'ai pas entendu chanter le coq! [30] . . . Aï!
pauvres nous! comment irai-je en paradis si mes Cucugnanais n'y sont pas?

«—Écoutez, mon pauvre monsieur Martin, puisque vous
15 voulez coûte que coûte être sûr de tout ceci, et voir de vos
yeux de quoi [31] il retourne, prenez ce sentier, filez [32] en
courant, si vous savez courir . . . Vous trouverez, à gauche,
un grand portail. Là, vous vous renseignerez sur tout. Dieu
vous le donne! [33]

20 «Et l'ange ferma la porte.

. . . .

«C'était un long sentier tout pavé de braise rouge. Je
chancelais comme si j'avais bu; à chaque pas, je trébuchais;
j'étais tout en eau, [34] chaque poil de mon corps avait sa
goutte de sueur, et je haletais de soif . . . Mais, ma foi, grâce
25 aux sandales que le bon saint Pierre m'avait prêtées, je ne
me brûlai pas les pieds.

«Quand j'eus fait assez de faux pas [35] clopin-clopant, je

[28] **Où diantre voulez-vous qu'ils soient?** *Where in the deuce do you expect them to be?* Note this common meaning of vouloir.

[29] **Serait-ce un mensonge . . .?** *Could it be a lie . . .?*

[30] **chanter le coq!** Father Martin means: If Saint Peter was lying, I would have heard the cock crow (Matthew 26:74).

[31] **de quoi il retourne** *how the matter stands* (colloquial).

[32] **filez en courant** *go on the run.*

[33] **Dieu vous le donne!** *God grant it!* (your finding them, that is).

[34] **j'étais tout en eau** *I was dripping with perspiration.*

[35] **Quand j'eus fait assez de faux pas clopin-clopant** *When I had limped and stumbled along quite a way.*

vis à ma main gauche une porte . . . non, un portail, un
énorme portail, tout[36] bâillant, comme la porte d'un grand
four. Oh! mes enfants, quel spectacle! Là, on ne demande
pas mon nom; là, point de registre. Par fournées[37] et à pleine
porte, on entre là, mes frères, comme le dimanche vous en- 5
trez au cabaret.

«Je suais[38] à grosses gouttes, et pourtant j'étais transi,
j'avais le frisson. Mes cheveux se dressaient. Je sentais le
brûlé, la chair rôtie, quelque chose comme l'odeur qui se
répand dans notre Cucugnan quand Éloy, le maréchal, 10
brûle pour la ferrer la botte d'un vieil âne. Je perdais haleine
dans cet air puant[39] et embrasé; j'entendais une clameur
horrible, des gémissements, des hurlements et des jurements.

«—Eh bien! entres-tu ou n'entres-tu pas, toi?—me fait,
en me piquant de sa fourche, un démon cornu. 15

«—Moi? Je n'entre pas. Je suis un ami de Dieu.

«—Tu es un ami de Dieu . . . Eh! b . . . de teigneux![40]
que viens-tu faire ici?

«—Je viens . . . Ah! ne m'en parlez pas, que[41] je ne puis
plus me tenir sur mes jambes . . . Je viens . . . je viens de 20
loin . . . humblement vous demander . . . si . . . si, par coup
de hasard . . . vous n'auriez pas ici . . . quelqu'un . . . quelqu'un de Cucugnan . . .

«—Ah! feu de Dieu! tu fais[42] la bête, toi, comme si tu ne
savais pas que tout Cucugnan est ici. Tiens, laid corbeau, 25
regarde, et tu verras comme nous les arrangeons ici, tes
fameux Cucugnanais . . .

---

[36] **tout bâillant** *wide open.*

[37] **Par fournées et à pleine porte** *By batches and as many as can get
through the door at one time.*

[38] **Je suais à grosses gouttes** *I was sweating profusely (I was in a bath of
perspiration).*

[39] **cet air puant et embrasé** *this foul and burning air.*

[40] **b . . . de teigneux!** *You lousy wretch!* (b suggests **bougre**, a vulgar
epithet; **teigneux**, *scabby*).

[41] **que je ne puis plus me tenir sur mes jambes** *for I can't stand up any
longer (I am ready to drop).*

[42] **tu fais la bête** *you are playing dumb.*

«Et je vis, au milieu d'un épouvantable tourbillon de flamme:

«Le long Coq-Galine,—vous l'avez tous connu, mes frères, —Coq-Galine, qui se grisait si souvent, et si souvent
5 secouait[43] les puces à sa pauvre Clairon.

«Je vis Catarinet ... cette petite gueuse ... avec son nez en l'air ... qui couchait toute seule à la grange ... Il[44] vous en souvient, mes drôles! ... Mais passons, j'en ai trop dit.

«Je vis Pascal Doigt-de-Paix, qui faisait son huile avec les
10 olives de M. Julien.

«Je vis Babet la glaneuse, qui, en glanant,[45] pour avoir plus vite noué sa gerbe, puisait à poignées aux gerbiers.

«Je vis maître Grapasi, qui huilait[46] si bien la roue de sa brouette.

15 «Et Dauphine, qui vendait si cher l'eau de son puits.

«Et le Tortillard, qui, lorsqu'il me rencontrait portant le bon Dieu,[47] filait son chemin, la barrette sur la tête et la pipe au bec ... comme s'il avait rencontré un chien.

«Et Coulau avec sa Zette, et Jacques, et Pierre, et Toni ...

. . . .

20 Ému, blême de peur, l'auditoire gémit, en voyant, dans l'enfer tout ouvert, qui[48] son père et qui sa mère, qui sa grand'mère et qui sa sœur ...

—Vous sentez bien, mes frères, reprit le bon abbé Martin, vous sentez bien que ceci ne peut pas durer. J'ai charge

[43] **secouait les puces à** *beat* (literally, *shook the fleas from*).
[44] **Il vous en souvient** *You remember that.*
[45] **qui, en glanant, pour avoir plus vite noué sa gerbe, puisait à poignées aux gerbiers** *who in gleaning* (or *when gleaning), in order to tie her sheaf quicker, took by handfuls from the sheaves.* The gleaner is supposed to gather only what has been left by the reapers, but Babet helped herself to the stacks!
[46] **qui huilait si bien la roue de sa brouette** *who oiled the wheel of his wheelbarrow so well* (in order not to be heard when he went out stealing something).
[47] **le bon Dieu** *the sacred Host.* A Frenchman usually raises his hat as he passes or is passed by a priest carrying the Host to the seriously ill.
[48] **qui ... qui ... qui** *one ... another ... another.*

d'âmes, et je veux, je veux vous sauver de l'abîme où [49] vous
êtes tous en train de rouler tête première. Demain je me mets
à l'ouvrage, pas plus tard que demain. Et l'ouvrage ne man-
quera pas! Voici comment je m'y [50] prendrai. Pour que tout
se fasse bien, il faut tout faire avec ordre. Nous irons rang 5
par rang, comme à Jonquières [51] quand on danse.

«Demain, lundi, je confesserai les vieux et les vieilles. Ce
n'est rien.

«Mardi, les enfants. J'aurai bientôt fait.

«Mercredi, les garçons et les filles. Cela pourra être long. 10

«Jeudi, les hommes. Nous couperons court.

«Vendredi, les femmes. Je dirai: Pas d'histoires! [52]

«Samedi, le meunier! . . . Ce n'est pas trop d'un jour pour
lui tout seul . . .

«Et, si dimanche nous avons fini, nous serons bien 15
heureux.

«Voyez-vous, mes enfants, quand le blé est mûr, il faut
le couper; quand le vin est tiré, il faut le boire. Voilà assez
de linge sale, il s'agit de le laver, et de le bien laver.

«C'est la grâce que je vous souhaite. *Amen!*» 20

Ce qui fut dit fut fait. On coula [53] la lessive.

Depuis ce dimanche mémorable, le parfum des vertus de
Cucugnan se respire à [54] dix lieues à l'entour.

Et le bon pasteur M. Martin, heureux et plein d'allégresse,
a rêvé l'autre nuit que, suivi de tout son troupeau, il 25
gravissait, en resplendissante procession, au milieu des
cierges allumés, d'un nuage d'encens qui embaumait et des

---

[49] où vous êtes tous en train de rouler tête première *into which all of you are now plunging head first.*

[50] m'y prendrai *will go about it.*

[51] Jonquières. A small village near Daudet's birthplace, Nîmes.

[52] Pas d'histoires! *No nonsense!*

[53] On coula la lessive *The dirty linen was washed and boiled.*

[54] se respire à dix lieues à l'entour *can be breathed for ten leagues around.*
A league is approximately two and one-half miles.

enfants de chœur qui chantaient *Te Deum*,[55] le chemin éclairé de la cité de Dieu.

Et voilà l'histoire du curé de Cucugnan, telle que m'a ordonné de vous le dire ce grand gueusard de Roumanille,
5 qui la tenait lui-même d'un autre bon compagnon. —*Lettres de mon moulin*

PENSÉES DIVERSES

1. Il [Daudet] a écrit en aimant, on l'aime en le lisant. —Edouard Rod[56]
2. Si vous avez la vérité à dire, vous ferez fort bien de l'envelopper dans des fables; elle en plaira beaucoup plus. —Fontenelle
3. Il n'y a rien dans le monde qui n'ait[57] son moment décisif, et le chef-d'œuvre de la bonne conduite est de connaître et prendre ce moment. —Cardinal de Retz

⟳ EXERCICES

I. Répondez en français:
   1. Que publient les poètes provençaux tous les ans?
   2. L'abbé Martin était-il parfaitement heureux à Cucugnan?
   3. Les Cucugnanais allaient-ils souvent à l'église?
   4. Quelle prière l'abbé Martin faisait-il toujours?
   5. Où s'est-il trouvé l'autre nuit?
   6. Que voulait-il savoir de saint Pierre?
   7. Pourquoi saint Pierre mit-il ses besicles?
   8. Combien de Cucugnanais y avait-il au paradis?
   9. Qu'a dit saint Pierre pour consoler l'abbé?
   10. Qu'est-ce qu'il lui a donné pour son voyage au purgatoire?
   11. Qui l'a reçu au purgatoire?
   12. Que faisait l'ange?
   13. Pourquoi son livre est-il plus gros que celui de saint Pierre?
   14. Combien de Cucugnanais y avait-il au purgatoire?

[55] The *Te Deum* is a medieval Latin hymn in praise of the Lord.
[56] A Swiss novelist (1857–1910).
[57] **n'ait** *does not have.* The **pas** is omitted in dependent clauses after another negation.

15. Qu'a pensé l'abbé en apprenant qu'il n'y avait pas de Cucugnanais au purgatoire?
16. Où est-il arrivé enfin?
17. Pourquoi ne s'est-il pas brûlé les pieds?
18. Qui était à la porte de l'enfer?
19. Comment l'abbé a-t-il été reçu?
20. Est-ce qu'il a trouvé ses Cucugnanais?
21. Quel a été l'effet de son récit sur son auditoire?
22. Quel ordre l'abbé suivra-t-il pour confesser ses Cucugnanais?
23. Que dira-t-il aux femmes?
24. Racontez le second rêve du curé de Cucugnan.

II. Apprenez par cœur:

à l'instant   **à coup sûr**   **ma foi!**
brave (before a noun)   **coûte que coûte**

III. Traduisez sans regarder le texte ni le vocabulaire:
1. Tous les ans ils publient un joyeux petit livre rempli jusqu'aux bords de jolis contes.
2. Celui de cette année m'arrive à l'instant.
3. Il demandait à Dieu la grâce de ne pas mourir avant de les avoir sauvés.
4. Tiens! c'est vous, mon brave monsieur Martin, me fit-il.
5. Voyons un peu: Cucugnan . . . Ah! nous y sommes.
6. Comment! Personne de Cucugnan ici?
7. Ils doivent faire à coup sûr leur petite quarantaine au purgatoire.
8. Tenez, chaussez vite ces sandales.
9. Voilà qui est bien!
10. Maintenant cheminez droit devant vous.
11. J'ai la chair de poule, rien que d'y songer.
12. Que voulez-vous! s'ils ne sont ni au paradis, ni au purgatoire, il n'y a pas de milieu, ils sont . . .
13. Je ne puis plus me tenir sur mes jambes.
14. Tu fais la bête!
15. Vous sentez bien que ceci ne peut pas durer.
16. Je veux vous sauver de l'abîme où vous êtes tous en train de rouler.
17. Voici comment je m'y prendrai.
18. Il n'y a rien dans le monde qui n'ait son moment décisif.

L'Esprit des lois
(Deux Extraits)
MONTESQUIEU

I. CE QUE C'EST QUE LA LIBERTÉ[1]

Il est vrai que dans les démocraties le peuple paraît faire ce qu'il veut; mais la liberté politique ne consiste point à faire ce que l'on veut. Dans un État, c'est-à-dire dans une société où il y a des lois, la liberté ne peut consister qu'à[2]
5 pouvoir faire ce que l'on doit vouloir, et à n'être point contraint de faire ce que l'on ne doit pas vouloir.

Il faut se mettre[3] dans l'esprit ce que c'est que l'indépendance, et ce que c'est que la liberté. La liberté est le droit de faire tout ce que les lois permettent; et si un citoyen
10 pouvait faire ce qu'elles défendent,[4] il n'aurait plus de liberté, parce que les autres auraient tout[5] de même ce pouvoir. —Livre XI, Ch. 3

[1] **Ce que c'est que la liberté** *The Meaning of Liberty* (literally, *What Liberty Is*).
[2] **à pouvoir faire ce que l'on doit vouloir** *in being able to do what one should wish (want)*.
[3] **Il faut se mettre dans l'esprit ce que c'est que l'indépendance** *It is necessary to (one must) understand what independence is*.
[4] **défendent** *forbid*.
[5] **tout de même** *likewise, similarly*.

138

2. DE[6] LA SÉPARATION DES TROIS POUVOIRS

Il y a dans chaque État trois sortes de pouvoirs : la puissance législative, la puissance exécutrice des choses qui dépendent du droit[7] des gens, et la puissance exécutrice de celles qui dépendent du droit civil.

Par la première, le prince[8] ou le magistrat fait des lois 5 pour un temps ou pour toujours, et corrige ou abroge celles qui sont faites. Par la seconde, il fait la paix ou la guerre, envoie ou reçoit des ambassades, établit[9] la sûreté, prévient les invasions. Par la troisième, il punit les crimes, ou juge les différends[10] des particuliers. On appellera cette dernière 10 la puissance de juger, et l'autre simplement la puissance exécutrice de l'État.

La liberté politique dans un citoyen est cette tranquillité d'esprit qui provient de l'opinion que chacun a de sa sûreté ; et pour qu'on ait cette liberté, il faut que le gouvernement 15 soit[11] tel qu'un citoyen ne puisse pas craindre un autre citoyen.

Lorsque dans la même personne ou dans le même corps de magistrature, la puissance législative est réunie à la puissance exécutrice, il n'y a point de liberté ; parce qu'on peut 20 craindre que le même monarque ou le même sénat ne[12] fasse des lois tyranniques pour les exécuter tyranniquement.

Il n'y a point[13] encore de liberté si la puissance de juger n'est pas séparée de la puissance législative et de l'exécutrice. Si elle était jointe à la puissance législative, le pouvoir 25

---

[6] **De** *Concerning.*

[7] **du droit des gens . . . du droit civil** *on international law . . . on judicial power.*

[8] **prince** *ruler.*

[9] **établit la sûreté, prévient les invasions** *establishes security, wards off invasions.*

[10] **les différends des particuliers** *the disputes of private citizens.*

[11] **il faut que le gouvernement soit tel qu'un citoyen ne puisse pas craindre un autre citoyen** *the government must be such that one citizen cannot fear (has no reason to fear) another citizen.*

[12] **ne fasse** *may make.* Ne is redundant after verbs of fear.

[13] **Il n'y a point encore de liberté** *There is no liberty either.* What does it say, literally?

sur la vie et la liberté des citoyens serait arbitraire : car le juge serait législateur. Si elle était jointe à la puissance exécutrice, le juge pourrait avoir la force d'un oppresseur.

5 Tout serait perdu si le même homme ou le même corps des principaux,[14] ou des nobles, ou du peuple, exerçaient ces trois pouvoirs : celui de faire des lois, celui d'exécuter les résolutions publiques, et celui de juger les crimes ou les différends des particuliers. —Livre XI, Ch. 6

PENSÉES DIVERSES

1. La connaissance et la liberté ne sont point des produits de la nature. Le peu que les hommes en ont, ils les obtinrent par l'effort et les préservent par artifice. La nature n'est pas libérale,[15] et il n'y a pas de raison de penser qu'elle s'intéresse à l'esprit.[16] —Valéry, *Variété IV*
2. La presse? Nécessairement libre, car elle est la voix de tous, dans un âge et dans une forme sociale où tous ont droit d'être entendus ; elle est la parole même de la société ; son silence serait la mort de la liberté. —Lamartine
3. La liberté individuelle, c'est la dignité. Les esprits communs n'ont jamais compris et jamais ne comprendront cela.—Vigny
4. Le citoyen français se croit le citoyen le plus libre du monde. —Giraudoux
5. On est plus libre à proportion qu'on est meilleur.—Maurras[17]

EXERCICES

I. Répondez en français :
1. Dans les démocraties le peuple fait-il ce qu'il veut?
2. Est-ce que la liberté consiste à faire ce que l'on veut?
3. Qu'est-ce que c'est que la liberté?
4. Si un citoyen pouvait faire ce que les lois défendent, aurait-il de la liberté?

[14] **le même corps des principaux, ou des nobles, ou du peuple**   *the same body of rulers, either from the nobility or from the common people.*
[15] **libérale**   *generous.*
[16] **à l'esprit**   *in the mind, in the things of the mind.*
[17] **Maurras, Charles** (1868–1952), political writer and poet.

5. Si les trois pouvoirs n'étaient pas séparés, la liberté politique serait-elle possible?
6. Définissez la liberté politique dans un citoyen.
7. Quel est le rôle de la presse dans une démocratie, selon Lamartine?

II. Traduisez sans regarder le texte ni le vocabulaire :
   1. Le peuple paraît faire ce qu'il veut.
   2. La liberté ne peut consister qu'à faire ce que l'on doit vouloir.
   3. Il faut se mettre dans l'esprit ce que c'est que l'indépendance.
   4. Si un citoyen pouvait faire ce que les lois défendent, il n'aurait plus de liberté.
   5. La liberté politique dans un citoyen est cette tranquillité d'esprit qui provient de l'opinion que chacun a de sa sûreté.
   6. Il faut que le gouvernement soit tel qu'un citoyen ne puisse pas craindre un autre citoyen.
   7. La presse est la parole même de la société.

III. Révisez ces faux amis :
   volontiers   **défendre**

Une Lettre ravissante

de

PAUL-LOUIS COURIER[1]

... Je disais donc que mes aventures sont diverses, mais toutes curieuses, intéressantes; il y a plaisir à les entendre, et plus encore, je m'imagine, à vous les conter. C'est une expérience[2] que nous ferons au coin du feu quel-
5 que jour. J'en[3] ai pour tout un hiver. J'ai de quoi[4] vous amuser, et par conséquent vous plaire, sans vanité, tout ce temps-là; de quoi vous attendrir, vous faire rire, vous faire peur, vous faire dormir. Mais pour vous écrire tout, ah! vraiment vous plaisantez: Mme Radcliffe n'y suf-
10 firait pas.[5] Cependant je sais que vous n'aimez pas à être refusée; et comme je suis complaisant, quoi qu'on[6] en dise, voici, en attendant, un petit échantillon de mon histoire; mais c'est du noir,[7] prenez-y garde. Ne lisez pas cela en vous couchant, vous en rêveriez, et pour rien au monde je ne
15 voudrais vous avoir donné le cauchemar.

[1] **Courier, P.-L.** (1772–1825), left about one hundred letters of enduring literary interest. The one reproduced here (with a few lines omitted) was written in 1807 from Italy where Courier was a cavalry officer in Napoleon's army. It is addressed to Madame Pigalle, a cousin of the author.

[2] **expérience**   *experiment.*

[3] **J'en ai pour tout un hiver**   *I have enough for a whole winter.*

[4] **de quoi**   *the wherewithal, what it takes.*

[5] **Mme Radcliffe n'y suffirait pas**   *(even) Mme Radcliffe could not do it.* Mme Radcliffe (1764–1823) was an English novelist whose tales of mystery and intrigue were very popular.

[6] **quoi qu'on en dise**   *whatever people may say about it.*

[7] **c'est du noir, prenez-y garde**   *it's frightening, beware of it.*

Un jour je voyageais en Calabre.[8] C'est un pays de
méchantes gens, qui, je crois, n'aiment personne, et en
veulent[9] surtout aux Français. De vous dire pourquoi, cela
serait long; suffit[10] qu'ils nous haïssent à mort, et qu'on
passe fort mal son temps lorsqu'on tombe entre leurs mains. 5
J'avais pour compagnon un jeune homme d'une figure[11] . . .
ma foi, comme ce monsieur que nous vîmes au Raincy;[12]
vous en souvenez-vous?[13] et mieux encore peut-être. Je ne
dis pas cela pour vous intéresser, mais parce que c'est la
vérité. Dans ces montagnes les chemins sont des précipices; 10
nos chevaux marchaient avec beaucoup de peine; mon
camarade allant devant, un sentier qui lui parut plus prati-
cable et plus court nous égara. Ce fut ma faute; devais-je[14]
me fier à une tête de vingt ans? Nous cherchâmes, tant qu'il
fit jour, notre chemin à travers ces bois; mais plus nous 15
cherchions, plus nous nous perdions, et il était nuit quand
nous arrivâmes près d'une maison fort noire. Nous y en-
trâmes, non sans soupçon, mais comment faire? Là nous
trouvons toute une famille de charbonniers à table, où du
premier mot on nous invita. Mon jeune homme ne se fit[15] 20
pas prier: nous voilà mangeant et buvant, lui du moins, car,
pour moi, j'examinais le lieu et la mine de nos hôtes. Nos
hôtes avaient bien mines de charbonniers; mais la maison,
vous l'eussiez[16] prise pour un arsenal. Ce n'étaient que fusils,
pistolets, sabres, couteaux, coutelas. Tout me déplut, et je 25
vis bien que je déplaisais aussi. Mon camarade, au contraire:

---

[8] **Calabre** *Calabria*, a region in the southwestern part of the Italian
peninsula (the toe of the Italian boot).

[9] **en veulent . . . aux Français.** En vouloir à *to have a grudge against.*

[10] **suffit** = il suffit.

[11] **figure** *face.*

[12] **au Raincy** *at Raincy.* Le Raincy is a manufacturing commune and a
suburb of Paris.

[13] **vous en souvenez-vous?** *remember that?* The en refers to the whole
experience.

[14] **devais-je me fier à une tête de vingt ans?** *should I have trusted the
judgment of a twenty-year-old?* How old was Courier at this time?

[15] **ne se fit pas prier** *didn't need to be told twice, didn't need urging.*

[16] **l'eussiez prise** *would have taken (mistaken).*

il était de la famille,[17] il riait, il causait avec eux; et par une imprudence que j'aurais dû[18] prévoir (mais quoi! s'il était écrit . . .) il dit d'abord d'où nous venions, où nous allions, qui nous étions; Français, imaginez un peu! chez nos plus
5 mortels ennemis, seuls, égarés, si loin de tout secours humain! et puis, pour ne rien omettre de ce qui pouvait nous perdre, il fit[19] le riche, promit à ces gens pour la dépense, et pour nos guides, le lendemain, ce qu'ils voulurent. Enfin il parla de sa valise, priant fort[20] qu'on en eût grand soin,
10 qu'on la mît au chevet de son lit; il ne voulait point, disait-il, d'autre traversin. Ah! jeunesse! jeunesse! que votre âge est à plaindre! Cousine, on crut que nous portions les diamants de la couronne: ce qu'il y avait qui lui causait tant de souci dans cette valise, c'étaient les lettres de sa maîtresse.
15 Le souper fini, on nous laisse; nos hôtes couchaient en bas, nous dans la chambre haute où nous avions mangé; une soupente élevée de sept à huit pieds, où l'on montait par une échelle, c'était là le coucher qui nous attendait, espèce de nid, dans lequel[21] on s'introduisait en rampant sous des
20 solives chargées de provisions pour toute l'année. Mon camarade y[22] grimpa seul, et se coucha tout endormi, la tête sur la précieuse valise. Moi, déterminé à veiller, je fis bon feu, et m'assis auprès. La nuit s'était déjà passée presque entière assez tranquillement et je commençais à me ras-
25 surer, quand, sur l'heure où il me semblait que le jour ne pouvait être loin, j'entendis au-dessous de moi notre hôte et sa femme parler et se disputer; et, prêtant l'oreille par la cheminée qui communiquait avec celle d'en bas, je distinguai parfaitement ces propres[23] mots du mari: *Eh bien!*

[17] il était de la famille   *he felt at home.*
[18] que j'aurais dû prévoir (mais quoi! s'il était écrit . . .)   *which I should have foreseen (but how could I help it, if it was written above . . .).*
[19] il fit le riche   *he played rich, he acted as if he were rich.*
[20] priant fort qu'on en eût grand soin, qu'on la mît au chevet de son lit   *earnestly begging them to take good care of it, to put it on his bed as a pillow.*
[21] dans lequel on s'introduisait en rampant   *which one entered crawling.*
[22] y grimpa seul, et se coucha tout endormi   *climbed to it and fell asleep before his head hit the pillow.*
[23] propres   *very.*

enfin voyons,[24] *faut-il les tuer tous deux?* A quoi la femme répondit: *Oui.* Et je n'entendis plus rien.

Que vous dirai-je? je restai respirant à peine, tout mon
corps froid comme un marbre; à me voir, vous n'eussiez[25]
su si j'étais mort ou vivant. Dieu! quand j'y pense encore! 5
... Nous deux presque sans armes, contre eux douze ou
quinze qui en avaient tant! et mon camarade mort de som-
meil et de fatigue! L'appeler, faire du bruit, je n'osais;
m'échapper tout seul, je ne pouvais; la fenêtre n'était guère
haute, mais en bas deux gros dogues hurlant comme des 10
loups ... En quelle peine je me trouvais, imaginez-le, si
vous pouvez. Au bout d'un quart d'heure, qui fut long, j'entends sur l'escalier quelqu'un, et, par les fentes de la porte,
je vis le père, sa lampe dans une main, dans l'autre un de ses
grands couteaux. Il montait, sa femme après lui; moi der- 15
rière la porte: il ouvrit; mais avant d'entrer il posa la lampe,
que sa femme vint prendre; puis il entre pieds nus, et elle
de dehors lui disait à voix basse, masquant avec ses doigts
le trop de lumière de la lampe: *Doucement, va doucement.*
Quand il fut à l'échelle, il monte, son couteau dans les dents, 20
et venu à la hauteur du lit, ce pauvre jeune homme étendu
offrant sa gorge découverte, d'une main il prend son
couteau, et de l'autre ... Ah! cousine ... Il saisit un jambon qui pendait au plancher, en coupe une tranche, et se
retire comme il était venu. La porte se referme, la lampe s'en 25
va, et je reste seul à mes réflexions.

Dès que le jour parut, toute la famille, à[26] grand bruit,
vint nous éveiller, comme nous l'avions recommandé. On
apporte à manger: on sert un déjeuner fort propre,[27] fort
bon, je vous assure. Deux chapons en faisaient partie, dont 30
il fallait, dit notre hôtesse, emporter l'un et manger l'autre.
En les voyant, je compris enfin le sens de ces terribles mots:

[24] **enfin voyons, faut-il les tuer tous deux?** *let's see now, shall we kill
them both?*
[25] **vous n'eussiez su** *you would not have been able to tell.*
[26] **à grand bruit** *with much noise* or *noisily.* Note this meaning of à.
[27] **propre** *decent, inviting.*

Faut-il les tuer tous deux? Et je vous crois,[28] cousine, assez
de pénétration pour deviner à présent ce que cela signifiait.
Cousine, obligez-moi : ne contez point cette histoire.
D'abord, comme vous voyez, je n'y joue pas un beau rôle, et
5 puis vous me la gâterez. Tenez, je ne vous flatte point ; c'est
votre figure qui nuirait à l'effet de ce récit. Moi, sans me
vanter, j'ai la mine [29] qu'il faut pour les contes à faire peur.
Mais vous, voulez-vous conter? prenez des sujets qui aillent[30] à votre air, Psyché,[31] par exemple. —*Lettres*

PENSÉES DIVERSES

1. Il ne suffit pas d'avoir de l'esprit.[32] Il faut encore en avoir
   assez pour éviter d'en avoir trop. —Maurois
2. Je n'ai pas rencontré un homme avec lequel il n'y eût[33] quelque chose à apprendre. —Vigny
3. Les hommes sont trop occupés d'eux-mêmes pour avoir le
   loisir de pénétrer ou de discerner les autres. —La Bruyère
4. Les ouvrages bien écrits seront les seuls qui passeront à la
   postérité. —Buffon

EXERCICES

I. Répondez en français :
   1. Les aventures de Courier sont-elles intéressantes?
   2. Où voyageait-il un jour?
   3. Avec qui voyageait-il?
   4. Courier et son compagnon où entrèrent-ils?
   5. Décrivez la maison.
   6. Le compagnon de Courier était-il discret?
   7. Qu'est-ce qu'il y avait dans sa valise?
   8. Où couchaient les hôtes?

[28] **Je vous crois** *I believe you have.*
[29] **la mine qu'il faut pour les contes à faire peur** *the look it takes to tell frightening tales.*
[30] **qui aillent à votre air** *which are becoming to your looks.*
[31] **Psyché** *Psyche*, in classical mythology, a princess of great beauty, loved by Cupid.
[32] **avoir de l'esprit** *to be witty* (literally, *to have wit*).
[33] **il n'y eût quelque chose à apprendre** *there wasn't something to be learned.*

9. Courier a-t-il bien dormi pendant la nuit?
10. Qu'est-ce que l'hôte a dit à sa femme?
11. Décrivez l'émotion de Courier à ces mots.
12. Pourquoi Courier n'a-t-il pas appelé son camarade?
13. Pourquoi ne s'est-il pas échappé par la fenêtre?
14. Que fit l'hôte avec son couteau?
15. Qu'est-ce que l'hôtesse a donné aux deux Français pour leur voyage?
16. Courier joue-t-il un beau rôle dans cette aventure?

II. Apprenez par cœur :

de quoi	à travers	au-dessous de
en attendant	se souvenir de.	(cf. au-dessus de)
par conséquent	il fait jour	prêter l'oreille
en vouloir à	en bas (cf. en haut)	tous (les) deux
avoir de l'esprit	prendre garde à	faire le riche (la bête)

III. Traduisez sans regarder le texte ni le vocabulaire :

1. C'est une expérience que nous ferons au coin du feu.
2. J'ai de quoi vous amuser, vous faire rire, vous faire peur, vous faire dormir.
3. Voici, en attendant, un petit échantillon de mon histoire.
4. C'est du noir, prenez-y garde!
5. On passe fort mal son temps.
6. Nos chevaux marchaient avec beaucoup de peine.
7. Nous cherchions, tant qu'il fit jour, notre chemin à travers ces bois.
8. Plus nous cherchions, plus nous nous perdions.
9. Il ne se fit pas prier.
10. Il fit le riche. J'aurais dû prévoir cela.
11. Ah! jeunesse! que votre âge est à plaindre!
12. Il se coucha tout endormi.
13. Je restai respirant à peine.
14. Dieu! quand j'y pense encore!
15. J'ai la mine qu'il faut pour les contes à faire peur.
16. Si vous voulez conter, prenez des sujets qui aillent à votre air.

Menuet

MAUPASSANT[1]

Les grands malheurs ne m'attristent guère, dit Jean Bridelle, un vieux garçon[2] qui passait pour sceptique. J'ai vu la guerre de bien près : j'enjambais les corps sans apitoiement. Les fortes brutalités de la nature ou des hommes peuvent nous faire pousser des cris d'horreur ou d'indignation, mais ne nous donnent point ce pincement au cœur, ce frisson[3] qui vous passe dans le dos à la vue de certaines petites choses navrantes.

La plus violente douleur qu'on puisse éprouver, certes, est la perte d'un enfant pour une mère, et la perte de la mère pour un homme. Cela est violent, terrible, cela bouleverse et déchire ; mais on guérit de ces catastrophes comme[4] des larges blessures saignantes. Or, certaines rencontres, certaines choses entr'aperçues, devinées, certains chagrins secrets, certaines perfidies du sort, qui remuent en nous tout un monde douloureux de pensées, qui entr'ouvrent devant

---

[1] **Maupassant, Guy de (1850–1893),** novelist and one of the world's greatest short story writers. His stories usually deal with realistic contemporary life. *Menuet,* a sort of fantasy, was dedicated to the psychological novelist Paul Bourget (1852–1935).

[2] **vieux garçon** *bachelor.*

[3] **ce frisson qui vous passe dans le dos** *this chill which runs down your spine.*

[4] **comme des larges blessures saignantes** *as (one does) from wide bleeding wounds.* Note this common meaning of **large.**

148

nous brusquement[5] la porte mystérieuse des souffrances
morales, compliquées, incurables, d'autant[6] plus profondes
qu'elles semblent bénignes, d'autant plus cuisantes qu'elles
semblent presque insaisissables, d'autant plus tenaces
qu'elles semblent factices, nous laissent[7] à l'âme comme une 5
traînée de tristesse, un goût d'amertume, une sensation de
désenchantement dont nous sommes longtemps à nous
débarrasser.

J'ai toujours devant les yeux deux ou trois choses que
d'autres n'eussent[8] point remarquées assurément, et qui sont 10
entrées en moi comme de longues et minces piqûres ingué-
rissables.

Vous ne comprendriez peut-être pas l'émotion qui m'est
restée de ces rapides impressions. Je ne vous en dirai qu'une.
Elle est très vieille, mais vive[9] comme d'hier. Il[10] se peut 15
que mon imagination seule ait fait les frais de mon atten-
drissement.

J'ai cinquante ans. J'étais jeune alors et j'étudiais le droit.
Un peu triste, un peu rêveur, imprégné d'une philosophie
mélancolique, je n'aimais guère les cafés bruyants, ni les 20
camarades braillards, ni les filles stupides. Je me levais tôt;
et une de mes plus chères voluptés était de me promener
seul, vers huit heures du matin, dans la pépinière[11] du
Luxembourg.

Vous ne l'avez pas connue, vous autres, cette pépinière? 25
C'était comme un jardin oublié de l'autre siècle, un jardin

[5] **brusquement** *suddenly.*
[6] **d'autant plus profondes qu'elles semblent bénignes** *all the more pro-
found because they seem benign* (mild).
[7] **nous laissent à l'âme comme une traînée de tristessse** *leave in our souls
(hearts) something like a streak of sadness.*
[8] **que d'autres n'eussent point remarquées** *which others would not have
noticed.*
[9] **vive comme d'hier** *fresh as (if it had happened) yesterday.*
[10] **Il se peut que mon imagination seule ait fait les frais de mon attendrisse-
ment** *It is possible that my imagination alone was responsible for my being
moved.* Note the idiom **il se peut** (*it is possible*).
[11] **la pépinière du Luxembourg** *the nursery of the Luxembourg garden.*
The **jardin du Luxembourg** is one of the largest parks in Paris; it is located
on the left bank of the Seine, adjoining the **Quartier Latin.**

joli comme un doux sourire de vieille. Des haies touffues
séparaient les allées étroites et régulières, allées calmes entre
deux murs de feuillage taillés avec méthode. Les grands
ciseaux du jardinier alignaient sans relâche ces cloisons de
5 branches; et, de place en place, on rencontrait des parterres
de fleurs, des plates-bandes de petits arbres rangés[12] comme
des collégiens en promenade, des sociétés[13] de rosiers magni-
fiques ou des régiments d'arbres à fruits.

Tout un coin de ce ravissant bosquet était habité par les
10 abeilles. Leurs maisons de paille, savamment espacées sur
des planches, ouvraient au soleil leurs portes grandes comme
l'entrée[14] d'un dé à coudre; et on rencontrait tout le long
des chemins les mouches bourdonnantes et dorées, vraies
maîtresses de ce lieu pacifique, vraies promeneuses de ces
15 tranquilles allées en[15] corridors.

Je venais là presque tous les matins. Je m'asseyais sur un
banc et je lisais. Parfois je laissais retomber le livre sur mes
genoux pour rêver, pour écouter autour de moi vivre Paris,
et jouir du repos infini de ces charmilles à la mode ancienne.
20 Mais je m'aperçus bientôt que je n'étais pas seul à fré-
quenter ce lieu dès[16] l'ouverture des barrières, et je rencontrais parfois, nez à nez, au coin d'un massif, un étrange
petit vieillard.

Il portait des souliers à boucles d'argent, une culotte[17] à
25 pont, une redingote tabac d'Espagne, une dentelle en guise
de cravate et un invraisemblable chapeau gris à grands
bords[18] et à grands poils, qui faisait penser au déluge.

---

[12] **rangés comme des collégiens en promenade** *in lines like schoolboys on a walk.* On Thursday afternoons boarding school pupils promenade through the streets. They wear uniforms or smocks and are accompanied by their teacher.

[13] **sociétés** *clusters.*

[14] **l'entrée d'un dé à coudre** *the opening of a thimble.*

[15] **en corridors** *(laid out) like corridors.*

[16] **dès l'ouverture des barrières** *from (the time of) the opening of the gates.* The Luxembourg garden closes every night at the curfew hour.

[17] **une culotte à pont** *old-fashioned breeches with a flap.*

[18] **à grands bords et à grands poils** *with a wide brim and heavy nap* (long hair).

Il était maigre, fort maigre, anguleux, grimaçant et
souriant. Ses yeux vifs palpitaient, s'agitaient sous un
mouvement continu des paupières ; et il avait toujours à la
main une superbe canne à pommeau d'or qui devait[19] être
pour lui quelque souvenir magnifique.   5

Ce bonhomme[20] m'étonna d'abord, puis m'intéressa
outre mesure. Et je le guettais à travers les murs de feuilles,
je le suivais de loin, m'arrêtant au détour des bosquets pour
n'être point vu.

Et voilà qu'un matin, comme il se croyait bien seul, il se 10
mit à faire des mouvements singuliers : quelques petits
bonds d'abord, puis une révérence ; puis il battit,[21] de sa
jambe grêle, un entrechat encore alerte, puis il commença à
pivoter galamment, sautillant, se trémoussant d'une façon
drôle, souriant comme devant un public, faisant[22] des 15
grâces, arrondissant les bras, tortillant son pauvre corps de
marionnette, adressant dans le vide de légers saluts atten-
drissants et ridicules. Il dansait !

Je demeurais pétrifié d'étonnement, me demandant
lequel des deux était fou, lui, ou moi.   20

Mais il s'arrêta soudain, s'avança comme font les acteurs
sur la scène, puis s'inclina en reculant avec des sourires
gracieux et des baisers de comédienne qu'il jetait de sa main
tremblante aux deux rangées d'arbres taillés.

Et il reprit avec gravité sa promenade.   25

A partir de ce jour, je ne le perdis plus de vue ; et, chaque
matin, il recommençait son exercice invraisemblable.

Une envie folle me prit de lui parler. Je me risquai, et,
l'ayant salué, je lui dis :

—Il fait bien bon aujourd'hui, monsieur.   30
Il s'inclina.

—Oui, monsieur, c'est un vrai temps de jadis.

---

[19] **devait être**   *must have been.*
[20] **bonhomme**   *old man.*
[21] **il battit, de sa jambe grêle, un entrechat encore alerte**   *with his slender leg, he cut a caper (which was) still sprightly.*
[22] **faisant des grâces**   *bowing.*

Huit jours après, nous étions amis, et je connus [23] son histoire. Il avait été maître de danse à l'Opéra, du temps du roi
Louis XV. Sa belle canne était un cadeau du comte de Cler-
mont. [24] Et, quand on lui parlait de danse, il ne s'arrêtait
5 plus de bavarder.

Or, voilà qu'un jour il me confia :

—J'ai épousé la Castris, monsieur. Je vous présenterai si
vous voulez, mais elle ne vient ici que sur [25] le tantôt. Ce
jardin, voyez-vous, c'est notre plaisir et notre vie. C'est tout
10 ce qui nous reste d'autrefois. Il nous semble que nous ne
pourrions plus exister si nous ne l'avions point. Cela est
vieux et distingué, n'est-ce pas? Je crois y respirer un air qui
n'a point changé depuis ma jeunesse. Ma femme et moi, nous
y passons tous nos après-midi. Mais, moi, j'y viens dès le
15 matin, car je me lève de bonne heure.

Dès que j'eus fini de déjeuner, je retournai au Luxembourg, et bientôt j'aperçus mon ami qui donnait le bras avec
cérémonie à une toute vieille petite femme vêtue de noir, et
à qui je fus présenté. C'était la Castris, la grande danseuse
20 aimée des princes, aimée du roi, aimée de tout ce siècle
galant qui semble avoir laissé dans le monde une odeur
d'amour.

Nous nous assîmes sur un banc de pierre. C'était au mois
de mai. Un parfum de fleurs voltigeait dans les allées pro-
25 prettes; un bon soleil glissait entre les feuilles et semait [26]
sur nous de larges gouttes de lumière. La robe noire de la
Castris semblait toute [27] mouillée de clarté.

Le jardin était vide. On entendait au loin rouler des
fiacres.

30 —Expliquez-moi donc, dis-je au vieux danseur, ce que
c'était que le menuet?

---

[23] **je connus** *I learned.*
[24] A prince of the royal house of France (1709–1771).
[25] **sur le tantôt** *a little later.*
[26] **semait sur nous de larges gouttes de lumière** *showered us with broad
beams of light.*
[27] **toute mouillée de clarté** *completely glittering with light.*

Il tressaillit.

—Le menuet, monsieur, c'est la reine des danses, et la danse des Reines, entendez-vous? Depuis qu'il n'y a plus de Rois, il n'y a plus de menuet.

Et il commença, en style pompeux, un long éloge dithy- 5 rambique auquel je ne compris rien. Je voulus [28] me faire décrire les pas, tous les mouvements, les poses. Il s'embrouillait, s'exaspérant de son impuissance, nerveux et désolé.

Et soudain, se tournant vers son antique compagne, toujours silencieuse et grave: 10

—Élise, veux-tu, dis, veux-tu, tu seras bien gentille, veux-tu [29] que nous montrions à monsieur ce que c'était.

Elle tourna ses yeux inquiets de tous les côtés, puis se leva sans dire un mot et vint se placer en face de lui.

Alors je vis une chose inoubliable. 15

Ils allaient et venaient avec des simagrées enfantines, se souriaient, se balançaient, s'inclinaient, sautillaient [30] pareils à deux vieilles poupées qu'aurait fait danser une mécanique ancienne, un peu brisée, construite jadis par un ouvrier fort habile, suivant la manière de son temps. 20

Et je les regardais, le cœur troublé de sensations extraordinaires, l'âme émue d'une indicible mélancolie. Il me semblait voir une apparition lamentable et comique, l'ombre démodée d'un siècle. J'avais envie de rire et besoin de pleurer. 25

Tout à coup ils s'arrêtèrent, ils avaient terminé les figures de la danse. Pendant quelques secondes ils restèrent debout l'un devant l'autre, grimaçant d'une façon surprenante; puis ils s'embrassèrent en sanglotant.

Je partais, trois jours après, pour la province. [31] Je ne les 30

[28] **Je voulus me faire décrire les pas** *I asked him to describe the steps for me* (literally, *I wanted to have the steps described to me*).

[29] **veux-tu que nous montrions** *shall we show.*

[30] **sautillaient pareils à deux vieilles poupées qu'aurait fait danser une mécanique ancienne** *hopped like two old dolls as if operated by an old-fashioned mechanism.*

[31] **pour la province** *for the provinces* (anywhere outside of Paris).

ai point revus. Quand je revins à Paris, deux ans plus tard,
on avait détruit la pépinière. Que sont-ils devenus [32] sans le
cher jardin d'autrefois, avec ses chemins en labyrinthe, son
odeur du passé et les détours gracieux des charmilles?
5 Sont-ils morts? Errent-ils par les rues modernes comme
des exilés sans espoir? Dansent-ils, spectres falots, un
menuet fantastique entre les cyprès d'un cimetière, le long
des sentiers bordés de tombes, au clair de lune?

Leur souvenir me hante, m'obsède, me torture, demeure
10 en moi comme une blessure. Pourquoi? Je n'en sais rien.

Vous trouverez cela ridicule, sans doute? —*Contes de la
Bécasse*

PENSÉES DIVERSES

1. J'ai toujours été très curieux de ces petites scènes silencieuses
   et intimes qu'on devine encore plus qu'on ne les voit.
   —Daudet
2. Connaître est la plus grande des joies, même pour un tout
   petit homme. —Duhamel
3. Maupassant ne se soucie pas de tout dire, mais de dire ce qui
   suggère avec force et lucidité. —Mornet [33]
4. Le détail en toutes choses est le seul vrai. —Maurois

EXERCICES

I. Répondez en français:

1. Oublie-t-on plus facilement les grandes brutalités ou les
   petites choses navrantes?
2. Comment s'appelle le vieux garçon qui raconte l'histoire
   du *Menuet*?
3. Quel âge a-t-il?
4. L'aventure qu'il raconte lui est-elle arrivée récemment?
5. Était-il très jeune quand cette aventure lui est arrivée?
6. Qu'étudiait-il?

[32] **Que sont-ils devenus?** *What has become of them?*
[33] **Mornet,** Daniel (1878–1954), literary critic.

7. Pourquoi préférait-il la solitude à la société?
8. Où allait-il se promener presque tous les matins?
9. Qui rencontrait-il parfois?
10. Qu'est-ce que le petit vieillard se mit à faire un matin?
11. Quand avait-il été maître de danse?
12. Qui avait-il épousée?
13. Qui était la Castris?
14. Jean Bridelle, le vieux garçon qui raconte cette aventure, a demandé au vieux danseur de lui expliquer ce que c'était que le menuet. Est-ce qu'il a compris l'explication du vieillard?
15. Que fit le vieillard pour mieux expliquer ce que c'était que le menuet?
16. Trois jours après cette aventure Jean Bridelle est parti. Où est-il allé?
17. Que sont devenus les deux danseurs?

II. Apprenez par cœur:

il se peut	**bonhomme**	**se soucier de**
dès que	**avoir envie de**	**parfois**
jadis		

III. Traduisez sans regarder le texte ni le vocabulaire:
1. J'ai vu la guerre de bien près.
2. Les fortes brutalités peuvent nous faire pousser des cris d'horreur.
3. Certaines perfidies du sort entr'ouvrent brusquement la porte mystérieuse des souffrances morales.
4. Ces souffrances sont d'autant plus profondes qu'elles sont bénignes.
5. Il se peut qu'il ait dit cela.
6. On les rencontrait tout le long des chemins.
7. Je rencontrais parfois, nez à nez, un étrange petit vieillard.
8. Il avait une dentelle en guise de cravate.
9. Cette canne devait être pour lui quelque souvenir magnifique.
10. Voilà qu'un matin ce bonhomme se mit à faire des mouvements singuliers.
11. A partir de ce jour, je ne le perdis plus de vue.
12. Une envie folle me prit de lui parler.

13. Huit jours après je connus son histoire.
14. C'est tout ce qui nous reste d'autrefois.
15. J'y viens dès le matin.
16. Dès que j'eus fini de déjeuner j'y retournai.
17. Il commença un long éloge auquel je ne compris rien.
18. J'avais envie de rire et besoin de pleurer.
19. Que sont-ils devenus sans ce cher jardin d'autrefois?
20. Leur souvenir demeure en moi comme une blessure.
    Pourquoi? Je n'en sais rien.

IV. Révisez ces faux amis :

expérience	**blessure**	**brusquement**
figure	**le sort**	**remarquer**
large		

Une Nuit dans les déserts du Nouveau-Monde

CHATEAUBRIAND

Un soir je m'étais égaré dans une forêt, à quelque distance de la cataracte du Niagara ; bientôt je vis le jour[1] s'éteindre autour de moi, et je goûtai, dans toute sa solitude, le beau spectacle d'une nuit dans les déserts du Nouveau-Monde. 5

Une heure après le coucher du soleil, la lune se montra au-dessus des arbres à l'horizon opposé. Une brise embaumée, que cette reine des nuits amenait de l'orient avec elle, semblait la précéder dans les forêts comme[2] sa fraîche haleine. L'astre solitaire monta peu à peu dans le ciel : tan- 10 tôt il suivait paisiblement sa course azurée ; tantôt il reposait sur des groupes de nues qui ressemblaient à la cime de hautes montagnes couronnées de neige. Ces nues, ployant et déployant leurs voiles, se déroulaient en zones diaphanes de satin blanc, se dispersaient en légers flocons d'écume, ou 15 formaient dans les cieux des bancs[3] d'une ouate éblouissante, si doux à l'œil, qu'on croyait ressentir leur mollesse et leur élasticité.

La scène sur la terre n'était pas moins ravissante : le jour[4] bleuâtre et velouté de la lune descendait dans les intervalles 20

---

[1] **je vis le jour s'éteindre**   *I saw the daylight getting dim.*
[2] **comme sa fraîche haleine**   *as (if it were) its fresh breath.*
[3] **des bancs d'une ouate éblouissante**   *banks of dazzling cotton wool.*
[4] **jour**   *light.*

des arbres, et poussait des gerbes de lumière jusque dans
l'épaisseur des plus profondes ténèbres. La rivière qui
coulait à mes pieds tour à tour [5] se perdait dans le bois, tour
à tour reparaissait brillante des constellations de la nuit,
5 qu'elle répétait [6] dans son sein. Dans une savane, de l'autre
côté de la rivière, la clarté de la lune dormait sans mouvement sur les gazons : des bouleaux agités par les brises et
dispersés çà et là formaient des îles d'ombres flottantes sur
cette mer immobile de lumière. Auprès, tout aurait été
10 silence et repos, sans la chute de quelques feuilles, le passage
d'un vent subit, le gémissement de la hulotte ; au loin, par
intervalles, on entendait les sourds mugissements de la
cataracte du Niagara, qui, dans le calme de la nuit, se pro-
longeaient de désert en désert, et expiraient à travers les
15 forêts solitaires.

La grandeur, l'étonnante mélancolie de ce tableau, ne
sauraient [7] s'exprimer dans les langues humaines ; les plus
belles nuits en Europe ne peuvent en donner une idée. En
vain dans nos champs cultivés l'imagination cherche à
20 s'étendre ; elle rencontre de [8] toutes parts les habitations des
hommes : mais dans ces régions sauvages l'âme se plaît à
s'enfoncer dans un océan de forêts, à planer sur le gouffre des
cataractes, à méditer au bord des lacs et des fleuves, et, pour
ainsi dire, à se trouver seule devant Dieu. —*Le Génie du*
25 *christianisme*

PENSÉES DIVERSES

1. La solitude est la source des inspirations. —Vigny
2. Voyez le spectacle de la nature, écoutez la voix intérieure !
   —Rousseau

[5] **tour à tour . . . tour à tour** *now . . . now* (literally, *in turn . . . in turn*).

[6] **répétait dans son sein** *repeated in its bosom* (that is to say, reflected in its water).

[7] **ne sauraient s'exprimer** *cannot be expressed.* The conditional of **savoir** used with **ne** (but without **pas**) has the idiomatic meaning of *cannot.*

[8] **de toutes parts** *on all sides.*

3. Quel que soit[9] le coin de la nature que vous regardiez, sauvage ou cultivé, pauvre ou riche, désert ou peuplé, vous y trouverez toujours deux qualités enchanteresses, la vérité et l'harmonie. —Diderot

4. Il y a dans l'art un point de perfection, comme de bonté ou de maturité dans la nature. Celui qui le sent et qui l'aime a le goût parfait. —La Bruyère

5. Dans tous les arts l'artiste ne peint que son âme. —France

6. Le beau n'est pas distinct de l'utile, quoi qu'en[10] pensent les ignorants. —Rodin[11]

EXERCICES

I. Répondez en français :
1. Où s'était égaré Chateaubriand un jour?
2. Qu'est-ce qu'il goûta?
3. Quand se montra la lune?
4. Donnez un synonyme de *la reine des nuits.*
5. La reine des nuits qu'amenait-elle de l'orient?
6. Donnez un synonyme de *l'astre solitaire.*
7. Cet astre reposait quelquefois sur des groupes de nues. A quoi ressemblaient ces nues?
8. Où descendait le jour bleuâtre et velouté de la lune?
9. Chateaubriand se trouvait-il loin de la rivière?
10. Où se perdait la rivière?
11. Comment reparaissait-elle?
12. Par quoi les bouleaux étaient-ils agités?
13. Qu'est-ce qu'on entendait au loin?
14. La scène décrite par Chateaubriand est-elle comparable avec les belles nuits en Europe? Pourquoi?
15. Ces régions sauvages se prêtent-elles à la méditation?

II. Apprenez par cœur :

tantôt . . . tantôt	de toutes parts
de l'autre côté de	se plaire à
au loin	

---

[9] **Quel que soit** *Whatever may be.*
[10] **quoi qu'en pensent les ignorants** *whatever ignoramuses may think of it.*
[11] **Rodin,** Auguste (1840–1917), outstanding sculptor.

III. Traduisez sans regarder le texte ni le vocabulaire:
   1. Bientôt je vis le jour s'éteindre autour de moi.
   2. La lune se montra au-dessus des arbres.
   3. Auprès, tout aurait été silence sans la chute de quelques feuilles.
   4. Au loin, par intervalles, on entendait la cataracte du Niagara.
   5. Ces choses ne sauraient s'exprimer dans les langues humaines.
   6. On trouve de toutes parts les habitations des hommes.
   7. L'âme se plaît à méditer, et, pour ainsi dire, à se trouver seule devant Dieu.

This vocabulary excludes those cognates which the average student can reasonably be expected to know.

Words in parentheses *and italics* are not part of the English equivalent; they merely give information.

Following is a list of abbreviations used in the vocabulary:

adj.	adjective	*indic.*	indicative
adv.	adverb	*inf.*	infinitive
cond.	conditional	*m.*	masculine
cont.	contraction	*part.*	participle
f.	feminine	*pl.*	plural
fut.	future	*prep.*	preposition
imperf.	imperfect	*subj.*	subjunctive

A

a has

à to, at, in, into, of, about, on, upon, with, by, for, from

abbé *m.* Father, Reverend

abdiquer to abdicate, to give up

abeille *f.* bee

abîme *m.* abyss

abord: d'— first, at first, first of all; tout d'— at the very first

aborder to approach, to face

aboutir to end

abréger to abridge, to shorten

abroger to abrogate, to abolish

accabler to overwhelm, to weigh down upon

accompagner to accompany; s'— de to be accompanied by

accomplir to accomplish

accoutumer to accustom; s'— to get used to

acharné determined

acheter to buy

achever to complete, to finish

acier *m.* steel

acquiert acquires

actuel, -elle current, (of the) present day, present

actuellement at the present time

adhérent *m.* supporter, follower

adosser: s'— to stand against, to be backed by

affable affable, courteous

affaire *f.* affair; les —s business; des —s de femmes getting mixed up with women

affecter to pretend, to feign

affinité *f.* affinity (*similarity*)

affranchir to free

afin de in order to

agacer to irritate

âge *m.* age

agilité *f.* agility, skill

agir to act; il s'agit de it is a question of, it concerns

agiter to agitate, to move, to swing; to wave; s'— to move about, to be restless

agréable pleasing

aï! oh! ouch!

aider to aid, to help

aiguillon *m.* goad, spur

aile *f.* wing

ailé winged

ailleurs elsewhere; partout — everywhere else

aimable pleasant, lovable

aimer to like, to love; — bien to be fond of

aîné elder, eldest

ainsi thus; pour — dire so to say

air *m.* look, appearance; avoir l'— de to look (like)

aisé easy

ajourner to postpone, to put off

ajouter to add

alentour around, about

aligner to arrange, to shape

allécher to attract, to lure

allée *f.* alley

allégresse *f.* joy, gladness

Allemagne *f.* Germany

allemand German

aller to go; to be (*of health*); Comment allez-vous? How are you?; allons donc! come now!, nonsense!, the idea!, go on!; s'en — to go away

alliage *m.* mixture, alloy

allongement *m.* prolonging

allumer to light

allumette *f.* match

allure *f.* pace, gait, speed

allusion *f.*: par — as an allusion

alors then; d'— of that time

âme *f.* soul, mind

améliorer to ameliorate, to improve; s'— to become better

amener to bring along, to lead

amertume *f.* bitterness

ami *m.* friend

amitié *f.* friendship

amoindri lessened
amour *m.* love
amour-propre *m.* self-esteem, sel-fishness
ampleur *m.* size
amusant amusing, funny
an *m.* year; **tous les —s** every year
analogue analagous, similar
ancêtre *m.* ancestor
ancien, -ienne (*before a noun*) former, old; ancient
ancillaire subservient
âne *m.* donkey
ange *m.* angel
anglais English
angle *m.* angle, corner
Angleterre *f.* England
Angoumois *m.* inhabitant of the province of Angoulême
anguleux angular, bony
animer to animate; **animé** animated, lively
année *f.* year
annexer to annex; to add
annoncer to announce; **s'—** to announce oneself
août *m.* August
apathie *f.* apathy, indifference
apercevoir: s'— to notice, to observe
aperçoit: s'— notices
apitoiement *m.* pity, compassion
aplati flattened
apparaître to appear
apparemment apparently
appartenir to belong
appeler to call; **s'—** to be called, to be named
appliquer: s'— to apply oneself, to apply
apporter to bring
apprendre to learn; to tell, to inform; to teach
apprenez learn
appris *simple past and past part. of* **apprendre**
approcher (de) to approach

appuyer to lean, to rest; **s'—** to lean
après after; **d'—** after, according to
après-demain day after tomorrow
après-midi *m.* and *f.* afternoon
araignée *f.* spider
arbre *m.* tree; **— à fruit** fruit-tree
archer *m.* archer, bowman
ardeur *f.* ardor, fervor, earnestness
arête *f.* fish bone
argent *m.* money; silver
argot *m.* slang
ariette *f.* arietta, light tune
armée *f.* army
arrangement *m.* arrangement; combination
arrêter: s'— to stop
arrière: en — behind
arriver to arrive, to happen, to befall
arrondir to round off
artifice *m.*: **par —** ingeniously, by trickery
asseoir to seat; **s'—** to sit down
assez enough, rather, considerable
assîmes *simple past of* **asseoir**
associer to associate
assujetti (à) subjected (to)
astre *m.* star, heavenly body; **— du jour** sun
athlétisme *m.* athletics
atroce atrocious, dreadful
atteindre to reach, to attain
attendre to wait (for); **en attendant** meanwhile
attendrir to move, to touch
attester: en — to call as witness
attirer to attract
attribuer to attribute
attrister to sadden; **s'—** to be sorry, to be sad
au *cont.* **à+le** to the
aucun none; **ne ... —** no, not ... any
audace *f.* audacity, boldness
au-dessous (de) below
au-dessus (de) above

auditeur *m.* auditor (*listener*)

auditoire *m.* audience, congregation

augure *m.* augur, soothsayer

auguste august (*noble, majestic*)

aujourd'hui today

aumônier *m.* chaplain

auprès de *prep.* near, with, next to, in comparison with; **auprès** *adv.* near it

auquel, auxquels to which

aur- *stem of fut. and cond. of* avoir

aussi also, too;— . . . **que** as . . . as; — **bien que** as well as; — **bien** in fact, for

aussitôt immediately

autant as much, as many; — **que** as much as, as many as; **d'— plus** . . . **que** all the more . . . because; **en faire —** to do likewise (*the same thing*)

autel *m.* altar

auteur *m.* author

autour (de) around

autre other; **d'—s** others; **de l'—** on the other (hand); (**autres** *may merely emphasize* **nous** *or* **vous**)

autrefois formerly; **d'—** of former times

autrement otherwise; — **dit** in other words

autrui others

aux *cont.* à+les to the

avais, avait, avaient had; **il y avait** there was, there were

avance: d'— in advance

avancer to advance; **s'—** to advance

avant before; — **de** before; — **que** before; — **tout** above all; **en —!** forward!

avare miserly, stingy

avec with

avènement *m.* advent

avenir *m.* future

avion *m.* airplane

aviron *m.* oar

avis *m.* opinion

avoir to have; — **tort** to be wrong; — **raison** to be right; — . . . **ans** to be . . . years old; — **honte** to be ashamed

avouer to confess, to admit

avril *m.* April

ayant having

azote *m.* nitrogen

azur *m.* azure (*the blue sky*)

azuré blue, azure

B

baiser *m.* kiss

bal *m.* ball (*dance*)

balancer: se — to swing

banc *m.* bench

bande *f.* troop, band, group

barbarie *f.* barbarism

barbier *m.* barber

baril *m.* barrel

barrette *f.* (*kind of*) cap

bas, basse low; **en bas** downstairs

bas-allemand: des dialectes —s German dialects

bassin *m.* basin

bataille *f.* battle

bâtir to build

battement *m.* beating

battre to beat; **se —** to fight

bavarder to talk, to chatter

beau, beaux beautiful, handsome, fine, fair

beaucoup much, many, very much, very many, a great deal

bec *m.* beak; "mouth"

bel, belle beautiful, handsome, fine, fair

bercail *m.* fold

berceau *m.* cradle

berger *m.* shepherd

besicles *f. pl.* spectacles

besogne *f.* work

besoin *m.* need; **avoir — de** to need

bête stupid, silly; — *f.* animal, beast

bibliothèque *f.* library

bien *m.* good, wealth

bien well, very, indeed, quite, exactly, very much, many, very many, completely, certainly, to be sure; — **des (de)** many, a great many; — **que** although; **aussi — que** as well as; **eh —!** well; **ou —** or else; **vouloir —** to be willing, to have the kindness to
bienfait *m.* benefit
bientôt soon
birman Burmese
blanc, blanche white
blé *m.* wheat
blême pale
blesser to wound, to offend, to hurt
blessure *f.* wound
bleuâtre bluish
bloc: comme un — as a whole
bœuf *m.* ox
boire to drink
bois *m.* wood, woods
boiter to limp
bon, bonne good; **de bonne heure** early; **mon bon** old chap
bond *m.* bound, leap
bonheur *m.* happiness; **par —** fortunately
bonhomie: avec — good-naturedly
bonhomme *m.* old fellow, old man
bonjour *m.* hello, good day
bonté *f.* goodness, excellence
bord *m.* edge, border
borne *f.* limit, bound
borner: se — to confine oneself
bosquet *m.* grove
botte *f.* hoof
bouchée *f.* mouthful
bouleau *m.* birch (tree)
bouleverser to upset
bouquin *m.* old book
bourdonner to buzz
bourg *m.* town, market town
bourrer to stuff
bout *m.* end; **au — de** after
braillard brawling
braise *f.* embers (*hot coals*)
bras *m.* arm
brave (*before a noun*) good, worthy
brièvement briefly

briller to shine, to glitter
briquet *m.* flint and steel, strike-a-light; cigarette lighter
brise *f.* breeze
briser to break
brouiller to muddle, to confuse
bruit *m.* noise
brûlé *m.* burnt odor
brûle-gueule *m.* (*short-stemmed*) pipe
brûler to burn
brun dark, brown
brusquement suddenly, abruptly
Bruxelles Brussels (*capital of Belgium*)
bruyant noisy
bu *past part. of* boire
but *m.* goal, aim, purpose

C

c' it, he, she, they, this, that; **c'est-à-dire** that is to say; **c'est que** it is because, the reason is that; **c'est à vous** it's up to you
ça that
çà: ah! — by the way, see here, well, indeed
cabaret *m.* tavern
cacher to hide, to conceal
cadeau *m.* gift
cadrer to fit, to agree
café *m.* coffee; **— au lait** coffee with milk
calculer to calculate
calomnie *f.* slander
campagne *f.* country
candeur *m.* candor, purity, simplicity, frankness
canne *f.* cane; **— à pommeau d'or** cane with a golden handle
capital essential
caprice *m.* caprice, whim
car for, because
caractère *m.* character, quality, characteristic, nature
caresser to caress, to stroke
carrefour *m.* crossroads
carrosse *m.* coach, carriage
carte *f.* map

carton *m.* cardboard
cas *m.* case
casser to break
cauchemar *m.* nightmare
causer to chat; to cause
causerie *f.* chat
caverne *f.* cavern, cave
ce this, that; it, he, she, they;
 c'est que, it is because, the reason
 is that; ce que what, that which;
 ce qui what, that which
ceci this
ceinture *f.* belt
cela that; sans — but for that
celle that, the one; —-ci this one,
 the latter; —-là that one, the
 former
celles those, the ones; —-ci these,
 the latter; —-là those, the former
celte celtic; — *m.* Celt
celui that, the one; —-ci this one,
 the latter; —-là that one, the
 former
cendre *f.* ash
cendrier *m.* ash-tray
cent hundred
centre *m.* center
cependant however
certitude *f.* certitude, certainty
ces these, those; ces ... là those
cet, cette this, that
ceux those, the ones; —-ci these,
 the latter; —-là those, the former
chacun each one
chagrin *m.* sorrow
chair *f.* flesh; — de poule goose
 pimples
chaire *f.* pulpit
chambre *f.* room; — à coucher
 bedroom; — haute room upstairs
champ *m.* field, country; dans les
 —s in the countryside
chance *f.* chance, risk, hazard;
 luck
chanceler to stagger
changement *m.* change

chanson *f.* song
chanter to sing
chapeau *m.* hat
chapon *m.* capon (*fattened rooster*)
chaque each
charbonnier *m.* charcoal-burner
charge *f.* obligation; avoir —
 d'âmes to have care of souls
charger to charge, to load
charité *f.*: par — in the name of
 charity, for mercy's sake
charmille *f.* hedge of hornbeams
 (*trees*)
charrue *f.* plow
chasser to chase, to drive away
châtiment *m.* punishment
chaud warm
chausser to put on (*footwear*)
chaussette *f.* sock
chef-d'œuvre *m.* masterpiece
chemin *m.* road, way; — de fer
 railroad
cheminée *f.* fireplace
cheminer to walk
chemise *f.* shirt
cher, chère dear; expensive
chercher to look for, to seek; — à
 to try to
cheval, -aux *m.* horse; à cheval on
 horseback
cheveux *m. pl.* hair
chez to *or* at the home (office,
 store) of; in, with, among; — lui
 at (his) home
chien *m.* dog
chiffrer to add and subtract
chœur *m.* choir
choisir to choose
chose *f.* thing; autre — que anything else but
choyer to coddle, to fondle, to
 treat with great care
chute *f.* fall
ciel *m.* sky, heaven
cierge *m.* (wax) candle
cieux *pl. of* ciel skies, heavens
cime *f.* top, peak
cimetière *m.* cemetery
cingler to lash

cinq five
cinquante fifty
cinquième fifth
circumnavigation *f.* circumnavigation (*navigation around*)
ciseaux *m. pl.* scissors
cité *f.* city (*in London, the business center*)
citer to cite, to mention, to quote
citoyen, -enne *m. f.* citizen
civilisateur, -trice civilizing
civilisé civilized
civisme *m.* civism, good citizenship
clair clear; **au — de lune** by moonlight
clarté *f.* clearness, light
classer to classify
clef *f.* key
clémence *f.* clemency, mercy
cloison *f.* partition
clore to close, to conclude
cocu *m.* cuckold (*one whose wife is unfaithful*)
cœur *m.* heart; **jolie comme un —** pretty as a picture; **par —** by heart; **de bon —** heartily, willingly
coffre *m.* chest
cohue *f.* press or impact (*of death*)
coin *m.* corner
collégien *m.* schoolboy
coller to paste; to put
combien (de) how much, how many
combinaison *f.* combination
combiner: se — à to combine with
combler to fill up
comédien *m.* comedian, actor
comme like, as; **— ...!** how ...!
comment how; **—!** what?(!)
commis *adj.* committed; **—** *m.* clerk
communauté *f.* commonness, community
communiquer: se — à to communicate with, to be felt on
compagnie *f.*: **en —** in society
compagnon *m.* companion, pal
compenser to compensate

complaisant accommodating
comporter to comprise, to involve
composer: se — to be composed, to consist
comprendre to comprise, to include; to understand
compris *past part. and simple past of* **comprendre**
compromis endangered
compte *m.*: **en fin de —** in the end
compter to count
concert *m.* concert; harmony
concevoir to conceive
concilier to conciliate, to reconcile
conçoit conceives
concurrence *f.* competition
conduire to conduct, to guide, to lead; **— à grandes guides** to drive four-in-hand (*four horses in two teams*)
conduite *f.* conduct, behavior
confiance *f.* confidence
confiseur *m.* confectioner
confrère *m.* colleague
confus abashed, ashamed, embarrassed
confusément confusedly
connais know
connaissance *f.* knowledge
connaître to know; **se — à** to be an expert in
connu known
conquête *f.* conquest
consacrer to consecrate, to dedicate
consciemment consciously
conscription *f.* conscription, draft
conseil *m.* council; **—s** advice
conséquent: par — consequently
conservateur conservative
conserver to preserve, to keep, to maintain
constellé de croix set with crosses
construire to construct, to build
conte *m.* tale
contenu contained
conter to tell, to relate
conteste *f.*: **sans —** indisputably
continentaux *m. pl. of* **continental**
contraint constrained, forced

contraire: au — on the contrary
contre against; par — on the other hand
contrée *f.* region
convenable suitable
convenir to agree; — à to be suitable to
conviens agree
convive *m.* guest
coqueluche *f.* whooping cough
coquette *f.* coquette, flirt
corbeau *m.* crow; (*derogatory*) priest
cornu horned
corporel bodily
corps *m.* body; — de magistrature body of magistrates
corriger to correct, to punish
corrompre to corrupt, to spoil
corse Corsican
cortège *m.* cortege (*followers*)
côte *f.* coast
côté *m.* side; du — de towards, in the direction of; à — de beside; de l'autre — de on the other side of
côtoyeur *m.*: des —s people who coast along, who stay close to the shore
cou *m.* neck
coucher to sleep; se — to go to bed; — *m.* going to bed, retiring, lodging; — du soleil sunset
coudre to sew
couler to flow
couleur *f.* color
coup *m.* blow, stroke, shot; tout à — suddenly; d'un seul — all at once; à — sûr surely
couper to cut; foins coupés mown hay
cour *f.* court
courant *m.* tendency
courbe *f.* curve
courir to run, to hasten
couronne *f.* crown
couronner to crown
cours *m.* course; au — de in the course of

cours d'eau *m.* stream, waterway
court short
courtisan *m.* courtier
couteau *m.* knife
coutelas *m.* cutlass (*short sword*)
coûter to cost; coûte que coûte at any cost
coutume *f.* custom; de — as usual; avoir — to be accustomed to
couvert covered
couvrir to cover
cra-cra scratch-scratch
craignent fear
craindre to fear
crainte *f.* fear
craquer to split
créateur, -trice creative
créer to create
crever to burst
cri *m.* cry, call
critique *m.* critic
critiquer to criticize
croire (à) to believe (in); il se croit he believes he is
croisée *f.*: — des chemins crossroads
croissance *f.* growth
croître to grow
croix *f.* cross
croyez, croyons *present and imperative forms of* croire
cru believed
crudité *f.* crudeness, crudity
cueillir to gather, to pick
cuiller *f.* spoon; petite — teaspoon
cuisant bitter, sharp
cuisinier *m.* cook
cuivre *m.* copper
culte *m.* cult, worship, veneration
cultivé cultured
cupidité *f.* cupidity, greed
curé *m.* parish priest

D

daigner to deign, to condescend
dans in, into, within
davantage more

de of, from, some, any, with, about, by, in, for, during; (*omit before infinitive*); **plus —** more than
débarrasser: se — de to get rid of
débattre to debate, to argue
débile weak, feeble
debout standing
déceler to disclose, to reveal
déchiffrer to play (*music*) at sight
déchirer to tear, to rend
découvrir to discover, to uncover
décrire to describe
dédaigner to disdain, to scorn
dedans in, within
dédommager to compensate; to recover the loss
déesse *f.* goddess
défaut *m.* defect, fault; **à leur —** in their absence
défendre to forbid; to defend
définir to define
définissez define
définitif definitive, final
défricher to clear
dégénérer to degenerate
dégoût *m.* loathing, dislike
dégoûté disgusted
déguiser: se — to disguise oneself
dehors outside
déjà already
déjeuner *m.* breakfast, lunch; **— du matin** breakfast
déjouer to check
délai *m.* delay
délibérer to deliberate
délices *f. pl.* delight
délicieux, -se delicious, delightful
délimiter to delimit (*to mark the bounds of*)
déluge *m.* deluge, flood
demain tomorrow; the future
demande *f.* question
demander to ask; **se —** to wonder
demeure *f.* dwelling, abode
demeurer to live, to remain
demi half
démodé antiquated, out of fashion
démolir to demolish, to destroy

démontrer to demonstrate
dent *f.* tooth
dentelle *f.* (piece of) lace
dénué devoid, deprived
départ *m.* departure
dépendre (de) to depend (on)
dépens *m.* expense
dépense *f.* expenditure, expense
déplaire to displease
déployer to unfold
déposer to put down, to lay down, to deposit
depuis since, for; **— que** since
déranger to disturb, to upset
déréglé irregular, immoderate, out of step
dernier, -ière last
dérober: se — de to avoid, to give up
dérouler to unfold; **se —** to unroll, to develop
derrière behind
des *cont.* **de+les** of the
dès since, from; **— que** as soon as
désagréable unpleasant
désarroi *m.* disarray, confusion
descendre to go (come) down, to descend
désenchantement *m.* disillusion
désobéissant disobedient
désormais henceforth
dessaisissement *m.* dispossession
dessécher to dry up, to wither
destin *m.* destiny
destinée *f.* destiny, life
détailler to examine in detail
détonation *f.* detonation (*report of firearms*)
détour *m.* turn, corner
détruire to destroy
deuil *m.* grief, sorrow
deux two
devant before, in front of; **aller —** to go forward
devenir to become
deviennent become
deviner to guess
devoir to owe, must, ought, to be expected to

Vocabulary

dévot pious, devout
dévoué devoted, strongly attached
dévouement m. devotion, attachment
devriez ought to
diaphane diaphanous, transparent
Dieu m. God
digne worthy
dimanche m. Sunday
diminution f. lessening, lowering
dinde f. turkey
dire to tell, to say
diriger: se — to direct oneself, to guide oneself
discours m. speech, address
disent say, tell
disperser: se — to scatter
disposition f. arrangement
disputer: se — to argue
dit says; said; **s'est —** (all that which) has been said
dites tell, say
dithyrambique dithyrambic, enthusiastic
divers diverse, various
divertir: se — to amuse oneself
diviser to divide; **se —** to be divided
dix ten
dix-huit eighteen
dix-huitième eighteenth
docte learned
dogue m. mastiff (large watchdog)
doigt m. finger
doit owes, must, is to
dolent doleful
domestique m. f. servant
dominant dominating
dominer to dominate
dommage m.: **quel —** what a pity
dompter to subdue, to master
don m. gift
donc then, therefore
donner to give
dont whose, of whom, of which
dorer to gild
dorloter to coddle, to fondle, to pamper
dormir to sleep

dos m. back
douane f. customs, customhouse
doubler to double, to increase
doucement gently, sweetly, gradually, quietly
douceur f. sweetness, pleasantness
douleur m. grief, sorrow
douloureux, -se painful
d'outre-tombe from beyond the tomb, posthumous
doux, douce sweet
douze twelve
dresser: se — to stand out; to stand up; to set (a trap)
droit straight; **tout —** straight ahead; **— m.** right; law
droite: à (main) — to the right
drôle funny, queer; **— m.** rascal
dru sturdy
du cont. **de + le** of the
dû, due due, owing
duc m. duke
duquel cont. **de + lequel**
durée f. duration
durer to last
dynamisme m. dynamism, vitality

E

eau f. water
éblouir to dazzle
écarlate scarlet
écart m. gap
écarter: s' — to deviate, to stray
échantillon m. sample, specimen
échapper to escape; **— à** to escape from; **s' —** to escape
échec m. failure
échelle f. ladder
éclairer to light
éclat m. brightness; glory, fame, splendor
école f. school
écopèrent got (slang)
écouter to listen (to)
écraser to crush, to overwhelm
écrier: s' — to exclaim, to cry out
écrire to write
écriture f. writing
écrivain m. writer

effacer to efface, to obliterate, to erase, to do away with

effarement *m.* fright, dismay

effet *m.* effect, result; **en —** in fact

efficacité *f.* efficacy, effectiveness

effleurer to stroke lightly

efforcer: s'— to strive, to make great efforts

effroyable frightful

égal equal

également equally, also, likewise

égaler to equal, to be equal to

égard *m.* regard; **à cet —** in this respect

égarer to lead astray; **s'—** to lose one's way; **égaré** lost

église *f.* church

élever to elevate, to raise, to rear; **mal élevé** ill-bred, badly brought up; **s'—** to rise to, to reach

elle she, it; her, it

elles they; them

éloge *m.* eulogy, praise

éloigné distant, faraway

éloigner: s'— to get away from

embarquer to embark

embaumer to perfume, to smell sweet

embellir to embellish, to adorn

embourber: s'— to sink in the mud

embrasser to kiss, to embrace

embrasure *f.* recess

embrouiller to confuse; **s'—** to get confused

empêcher to prevent

empire *m.* empire, power

emplir to fill

employer to employ, to use

emporter to carry along; **l'—** to triumph, to win out; **l'— sur** to surpass; **s'—** to get angry, to inveigh

empreint marked, impressed, stamped

ému moved

en some, any, of it, of them, about it; (*may sometimes be omitted*)

encens *m.* incense

enchaînement *m.* concatenation, succession

enchaîner to enchain; to control

enchanteur, -eresse enchanting

encore still, yet, again; **— une fois** once more, again; **si —** still, and yet

endormir: s'— to fall asleep; **endormi** sleeping

endroit *m.* place

enfance *f.* childhood

enfant *m. f.* child

enfantin childish

enfer *m.* hell

enfermer to shut up (in), to confine

enfiler (une aiguille) to thread (a needle)

enfin finally, in short, at least

enforcer: s'— to sink, to bury oneself

engager to pledge, to involve; **s'—** to pledge oneself, to promise; to enlist

engin *m.* engine

engloutir to swallow up

énigmatique enigmatic, puzzling

enjamber to stride over

ennemi *m.* enemy

ennui *m.* ennui, boredom

ennuyer to annoy, to bore; **s'—** to be (get) bored

enrichir to enrich

enseigner to teach

ensemble together; **—** *m.* ensemble, totality, whole; **l'— total** the sum total, the combined whole

ensuite then, next

entendre to hear; to understand; **bien entendu** of course

entortiller to twist, to distort

entouré de surrounded by

entraîner to drag

entr'apercevoir to catch a fleeting glimpse of

entre between, among

entrée *f.* entry, entrance; entering, coming-in

entreprise *f.* undertaking

entrer to enter, to come (go) in
entretenir to entertain, to talk to
entretien *m.* conversation
entr'ouvrir (s') to open partly
énumérer to enumerate
envahisseur invading; — *m.* invader
envelopper to envelop, to surround
envie *f.* desire; prendre — to feel like; avoir — de to feel like
environ about
envisager to envisage, to consider
envoyer to send
épais, -aisse thick, heavy
épaisseur *f.* thickness
épargner to spare
épine *f.* thorn
épouser to marry
épouvantable frightful
éprouver to feel
équipage *m.* plight; crew
équivoque equivocal, uncertain
errer to wander
escalier *m.* stairway, stairs
escarboucle *f.* carbuncle (*red precious stone*)
esclavage *m.* slavery
espacer to space
Espagne *f.* Spain
espèce *f.* species, a kind of
espoir *m.* hope
esprit *m.* mind, wit, intelligence, spirit; ghost; avoir de l'— to be witty
essayer to try
essoufflé out of breath
est *m.* east
est is; est-ce que? (literally *is it that ...?* but is not to be translated); il en — de the same thing is true about
estime *f.* esteem
et and
établir to establish; to lay down (rule)
étais, était, étaient *forms of imperf. indic. of* être; il était there was
étaler to display

étant being
état *m.* state, condition; États-Unis *m. pl.* United States; en mauvais — torn
étatiste *adj.* state
été *m.* summer; en — in (the) summer
été *past part. of* être been
étendre to spread out, to extend; s'— to expand
étendue *f.* extent, size, area, scope
êtes are
Étienne Stephen
étinceler to sparkle
étions were
étiquette *f.* label
étoile *f.* star
étonnement *m.* astonishment, amazement
étonner to astonish; s'— to be astonished
étrange strange; foreign
étranger, -ère foreign
être to be; — d'accord to agree; — *m.* being
étroit narrow
étude *f.* study
étudier to study
eu *past part. of* avoir had
eus, eut had
eux they, them
éveiller to awaken; s'— to wake up
événement *m.* event, outcome
éviter to avoid
évoluer to evolve, to advance
exalter to exalt
exaspérer: s'— de to become exasperated over
excellence: par — par excellence, above all others
exemplaire *m.* example, specimen
exemple *m.*: par — for example; sans — unprecedented
exercer to exercise, to train
exigeant demanding, exacting, hard to please
exigence *f.* exigency, demand
exiger to demand

exister to exist; **il existe** there exist(s)

expérience *f.* experience; experiment

expliquer to explain

exprimer to express; **s'—** to express oneself

extérieur external

F

fabliau *m.* fabliau (*tale in verse*)

facilement easily

façon *f.* way

façonner to fashion, to shape

factice unreal

faible weak

faiblesse *f.* weakness

faire to make, to do; to ask (*a question*); **—** (*+inf.*) to have (*something done*), to cause (*something to be done*); **— voir** to show; **se — honneur** to glory in, to take pride in; **— visite à** to visit (*people*); **— la bête** to play dumb; **— peur** to frighten; **— jour** to be daylight; **— le riche** to play rich

faisant *present part. of* **faire**

fait *m.* fact; **dans le —** in fact, as a matter of fact

fait makes, does (*also past part. of* **faire**); **on se — l'habitude** one gets the habit

falaise *f.* cliff

falloir must, to be necessary; **il me fallait** I had to

falot droll, grotesque

famille *f.* family

fanatisme *m.* fanaticism

fange *f.* mud, mire

fatigant fatiguing, tiring, tiresome

faubourg *m.* suburb, outskirts

faudrait: il — it would be necessary

faut: il — one must, it is necessary; **il ne — pas** one must not

faute *f.* fault, mistake

fauteuil *m.* arm-chair; **— de tapisserie** upholstered armchair

fauve tawny (*yellowish-brown*)

faux, fausse false, untrue

favoriser to favor

femme *f.* woman, wife

fenêtre *f.* window

fente *f.* crack

fera will make, will do

fer-blanc *m.* tin

fermer to close

fermier *m.* farmer

ferrer to shoe (*a horse*)

fête *f.* saint's day, birthday

feu *m.* fire, firing; **les feux de l'aurore** the glow of the dawn

feuillage *m.* foliage, leaves

feuille *f.* leaf; **— vivante** green leaf

feuillet *m.* leaf

feuilleter to turn the leaf

fiacre *m.* cab

fidèlement faithfully

fierté *f.* pride

figure *f.* face; (dance) step; **les grandes —s** great figures (*of speech*)

filer to spin; **— son chemin** to go along one's way

fille *f.* daughter, girl

fils *m.* son, sons

fin *f.* end; **à la —** in the end; **en — de compte** in the end

finesse *f.* finesse, shrewdness

finir to finish

firent made; took (*a walk*)

fit made, did

Flamand Flemish

flamme *f.* flame; ardor

flatter to flatter, to humor

flatteur, -euse flattering

fléau *m.* scourge, calamity

fleur *f.* flower

fleuri covered with flowers

fleurir to bloom

fleuve *m.* river

flocon *m.* flake; **— d'écume** foam-flake

flotter to float

foi *f.* faith; **sur la — de leurs promesses** relying on their promises; **de bonne —** in good faith; **ma —!** upon my word

foin *m.* hay

fois *f.* time; **à la —** at the same time

folie *f.* madness, foolishness

fond *m.* bottom; characteristic trait; **au —** at the bottom, on close examination

font make, do

force *f.* strength, power, force; **à — de** by, by dint of

forêt *f.* forest

fort strong; very; much; large

fortifier to fortify, to strengthen

fou, folle crazy, foolish, silly; **—** *m.* madman, fool

foudre *f.* thunderbolt, lightning

fouet *m.* whip

foule *f.* crowd

four *m.* oven

fourche *f.* fork

fourré lined with furs

français French

franchir to cross, to pass

frapper to strike, to befall, to knock

frelon *m.* hornet

frère *m.* brother

fringant frisky, dashing

frisson *m.* shiver; thrill

froid cold

fromage *m.* cheese

fuir to flee, to keep away from

fumée *f.* smoke

funeste fatal, disastrous

fus, fut was

fusil *m.* gun

G

gagner to gain, to reach, to win, to earn

gaillard *m.* strong, vigorous fellow

gaîté *f.* gaiety, gladness

garantie *f.* guarantee

garantir to guarantee

garçon *m.* boy

garder to keep; to guard

gâteau *m.* cake

gâter to spoil, to damage

gauche awkward; **à (main) —** to the left

Gaulois *m.* Gaul

gaz *m.* gas, gases

gazon *m.* grass, lawn

géant *m.* giant

gémir to groan, to moan

gémissement *m.* groan, moan

générateur, -trice productive

généraux *pl. of* **général**

génie *m.* genius

genou *m.* knee

genre *m.* genre, kind, class, type, style; **— humain** mankind

gens *pl.* people; **jeunes —** young men, young people; **— de lettres** men of letters

gerbe *f.* sheaf; **— de lumière** sheet of light

gifle *f.* slap

glacer: se — to become cold, to become severe

glaneur, -se *m. f.* gleaner (*gatherer of leftovers in fields*)

glisser to glide; to sail; to slip; to shine

gloire *f.* glory

gonfler: se — to swell

gorge *f.* throat

gouffre *m.* abyss

goût *m.* taste, liking (for), fondness, aftertaste

goûter to taste, to enjoy

goutte *f.* drop

gouvernante *f.* housekeeper, governess

grâce *f.* grace, favor, pardon; charm, quality; **— à** thanks to

gracieux, -se graceful, pleasing

grand great, big, large, tall, grown-up; **les —s** big boys

grandeur *f.* size, greatness

grandir to grow greater

grange *f.* barn

gras, grasse fat; rich (*of soil*)

gravir to climb

gravure *f.* picture, engraving

grenouille *f.* frog

grève *f.* beach, shore

grimacer to grin, to grimace
gris grey
griser: se — to get drunk
gros, grosse big, large; **en gros**
roughly, after a fashion
grossier, -ière coarse, rude, unman-
nerly
grossir to enlarge
guère: ne . . . — scarcely, hardly
guérir to cure, to heal, to recover
guerre *f.* war
guêtre *f.* gaiter, legging
guêtré *m.* person wearing gaiters
guetter to watch, to keep an eye on
gueusard *m.* loafer
gueuse *f.* trollop (*loose woman*)
guide: à grandes —s four-in-hand
(*four horses in two pairs*)
guise: en — de by way of, as, like

H

habile clever
habillement *m.* clothing
habitant *m.* inhabitant
habitude *f.* habit; **par —** out of
habit
haie *f.* hedge
haine *f.* hatred, hate
haïr to hate
hait hates
haleine *f.* breath
haleter to pant
hameau *m.* hamlet, village
hanter to haunt
hasard *m.* chance; **par coup de —**
by any chance
hâter to hasten, to hurry; **— le pas**
to quicken one's pace
haut high; **tout —** aloud; **en —**
upstairs
hautain haughty
hauteur *f.* height
hélas alas
herbe *f.* grass
herbier *m.* herbarium (*container of
dried herbs*)
hétérogène heterogeneous (*of different nature*)

heure *f.* hour, o'clock; **de bonne —**
early
heureusement happily, fortunately,
successfully
heureux, -se happy, fortunate
hexagone *m.* hexagon (*six-sided
figure*)
hier yesterday
hirondelle *f.* swallow
histoire *f.* story, history
hiver *m.* winter; **en —** in (the)
winter
hommage *m.* homage, respect, tri-
bute
homme *m.* man; **— d'État** statesman
homogénéité *f.* homogeneity (*similarity*)
honneur *m.* honor; **se faire —** to
glory in, to justify
honte *f.* shame; **avoir —** to be
ashamed
honteux, -se shameful, ashamed
horloge *f.* clock
hors out, outside; **il est — de doute**
it is beyond doubt
hostie *f.* host (*consecrated wafer*)
hôte *m.* host; guest
hôtesse *f.* hostess; guest
houblon *m.* hop (*twining vines*)
houppelande *f.* overcoat
huée *f.* hooting
huile *m.* oil
huit eight; **— jours** a week
hulotte *f.* wood owl
humeur *f.* temperament, disposition; humor
humilier to humiliate
hurlement *m.* shout, howling
hurler to howl

I

Ibère *m.* Iberian (*inhabitant of
Iberia—Spanish peninsula—and
Southern France*)
ici-bas here below, in this (lower)
world
ignorer to be ignorant of, to be unaware of, not to know

il he, it, there; **— y a** there is, there are; *with expressions of time ago;* **— en résulte** the result of it is

ils they

image *f.* picture

immobile motionless

implacable implacable, relentless

importer to be important; **il importe** it is important; **qu'importe?** what difference does it make?

imposer to impose, to impress

imprégné de imbued with

imprévisible unforeseeable

imprévu unforeseen

imprimer to print

impuissance *f.* powerlessness, incapacity

incertitude *f.* uncertainty

incliner: s'— to bow

inconnu unknown

indicible inexpressible, undescribable

indomptable indomitable, uncontrollable

indulgence *f.* leniency, consideration

inégaux *pl. of* **inégal** unequal

inférieur inferior, lesser

infini *m.* infinity

infirme (mentally) crippled

in-folio *m.* folio-volume (of the largest size)

ingrat *m.* ingrate, ungrateful person

inguérissable incurable

inné innate

inonder to inundate, to flood

inoubliable unforgettable

inquiet uneasy, restless

inquiétant disturbing, alarming

inquiétude *f.* uneasiness, anxiety

insaisissable impossible to grasp, elusive

insensiblement imperceptibly, gradually

instant: à l'— this very moment

instinct: d'— instinctively

instruire: s'— to educate oneself

insupportable unbearable

intérêt *m.* self-interest

intérieur *m.* interior, inner part

intervient intervenes

intestin internal

intimité *f.* intimacy

introduire to introduce; **s'—** to get in, to enter

invité, -e *m. f.* guest

invraisemblable unbelievable

ir- *stem of fut. and cond. of* **aller**

irlandais Irish

Irlande *f.* Ireland

italien, -ienne Italian

ivresse *f.* intoxication, enthusiasm, rapture

J

Jacques James

jadis formerly

jamais never; ever; **ne ... —** never

jambe *f.* leg

jambon *m.* ham

jardin *m.* garden

jaune yellow

Jean John

jeter to throw; **— à manger** to feed, to throw food to; **se —** to rush

jeu *m.* play, interplay

jeune young; **—s gens** young men, young people

jeunesse *f.* youth, young people

joie *f.* joy

joindre to join, to add

joli pretty

jonc *m.* rush (*a plant*)

joue *f.* cheek

jouer to play; **se —** to enjoy oneself, to sport, to frolic

jouet *m.* toy, plaything, trifle

jouir (de) to enjoy

jour *m.* day; **c'est son —** it's her at-home day; **tous les —s** every day; **de nos —s** in our time; **le — d'avant** the previous day; **tout le —** all day

journal, -aux *m.* newspaper
journée *f.* day
joyeux joyous, joyful, merry
juger (de) to judge
juillet *m.* July
juin *m.* June
jurement *m.* oath
jurer to swear
juridique judicial, legal
jusqu'à until, as far as; even
jusque until
justement precisely
justifier to justify

L

la thẹ; her, it
là there; that; ce sont — those are
là-bas over there, yonder
labyrinthe *m.* labyrinth, maze
lâche cowardly
là-dedans in that
là-dessus on it
laid ugly
laisser to let, to leave; — tomber to drop
lait *m.* milk
lamé de plomb leaded, framed with lead
lancer: se — to venture
langue *f.* language
langueur *f.* languor, listlessness
laquelle which, that
large broad, wide
larme *f.* tear
lassitude *f.* weariness
laver to wash
le the; him, it
leçon *f.* lesson
lecture *f.* reading
léger, -ère soft, light
légèrement lightly, slightly
légèreté *f.* lightness, levity
lendemain *m.* next day, day after
lentement slowly
lequel, laquelle, lesquels, lesquelles which, which one(s); who, whom
les they; them

lettre *f.* letter; les belles —s belles-lettres (*literature, humanities*)
leur their, theirs; to them
lever: se — to get up, to rise; — *m.* getting up, rising
lèvre *f.* lip
libéralement freely
libéralité *f.* liberality, generosity
libre free
lien *m.* bond, tie, link
lier to bind, to tie
lieu *m.* place
lieue *f.* league (*about 2½ miles*)
ligne *f.* line, row; sur une seule — in a single row
Ligure *m.* Ligure, Ligurian (*inhabitant of southeast Gaul and the northwest coast of Italy*)
linge *m.* linen
liquider to liquidate
lire to read
liseur *m.* reader (*person fond of reading*)
lit *m.* bed
livre *m.* book
livrer: se — à to indulge in
loi *f.* law
loin far; au — far away; de — from afar
loisir *m.* leisure
Londres London
long, -ue long; le long de along; à la longue in the end, in the long run
longer to skirt, to run along
longtemps a long time
longuement at length
lors then; — de at the time of
lorsque when, whenever
louange *m.* praise
louer to praise
loup *m.* wolf
lourd heavy, weighty
lucidité *f.* lucidity (*clearness*)
lui him, to him; her, to her; it, to it
luire to gleam, to shine
lumière *f.* light

lundi *m.* Monday
lune *f.* moon
lut *simple past of* **lire** read

M

machinisme *m.* mechanization
maigre thin, slender, lean
main *f.* hand
maintenant now
maire *m.* mayor
mais but
maison *f.* house; **à la —** at home
maisonnette *f.* small house, cottage
maître *m.* master, teacher
maîtresse *f.* hostess, school teacher; mistress, sweetheart; **— de maison** hostess
majestueusement majestically
mal *m.* (*pl.* **maux**) evil, trouble, harm
mal badly; **— élevé** ill-bred, badly brought up
malade ill, diseased; **—** *m. f.* invalid
maladroit awkward
malgré in spite of
malheur *m.* unhappiness, misfortune; **quel —!** what a shame!
malheureux, -se unfortunate; paltry, wretched; unhappy
manche *m.* handle
Manche *f.* English Channel
manger to eat (up)
maniement *m.* handling
manière *f.* manner, way; **d'une —** in a manner
manne *f.* basket
manoir *m.* manor, manor house
manquer to lack, to fail
manteau *m.*: **— de pluie** raincoat
marbre *m.* marble
marchand *m.* merchant; **— de draps** dry-goods dealer
marcher to walk; to progress
marécage *m.* marsh, swamp
maréchal *m.* blacksmith
mari *m.* husband
marier to marry (off); **se —** to get married

marqué marked, assigned
masquer to mask, to disguise
massif *m.* thicket, grove
matière *f.* matter
matin *m.* morning
mauvais bad
maux *pl. of* **mal**
mécanique *f.* mechanism
méchanceté *f.* wickedness
méchant wicked
mécontenter to displease
médecin *m.* doctor, physician
médiocre mediocre, poor
médisant slanderous, backbiting
meilleur better, best
mélange *m.* mixture, blend
mélanger to mix, to blend
mêlée *f.* fray, conflict
mêler to mix, to blend
même same, self, very, even; **elle-même** herself, itself; **lui-même** himself, itself; **de — que** just as
ménage *m.* married life
mensonge *m.* lie
mentalement mentally
mentir to lie
menuet *m.* minuet
mer *f.* sea, ocean
merci thank you, thanks
mère *f.* mother
merveille *f.* marvel
merveilleux, -se marvelous
mesure *f.* measure, moderation, restraint; **à — que** as, in proportion as
met, mets *forms of pres. indic. of* **mettre**
métier *m.* trade, occupation, profession
mettre to put, to put on (*clothes*); **— au monde** to bring into the world; **se — à** to begin; **— en œuvre** to use, to bring into play
meunier *m.* miller
midi *m.* noon
Midi *m.* the South of France
miel *m.* honey
mien, mienne mine
miette *f.* crumb, a tiny bit

mieux better, best; **tant —** so much the better
mignon, -onne darling
milieu *m.* milieu (*environment, circle*); middle; **au — de** in the middle of
mille a thousand, one thousand
milliard *m.* billion
mimer to mimic, to ape
mince thin, slight
mine *f.* look, facial expression; **avoir —** to look like
ministériel ministerial (*of the ministry or cabinet*)
mis, mit put
miséricorde *f.* mercy
mobile *m.* driving power, spring (*of action*)
mœurs *f. pl.* habits, manners, customs, ways, morals
moi me, to me; I; as for me
moindre least, slightest
moine *m.* monk
moins less; **au —** at least; **du —** at least, at any rate
mois *m.* month
moitié: la — a half
mollement softly, gently
mollesse *f.* softness
mollet *m.* calf (*of the leg*)
monde *m.* world, people, society; **tout le —** everybody; **tout un —** a multitude
mondial world (*adj.*)
montagne *f.* mountain
montagneux, -se mountainous
monter to climb, to go up
montrer to show; **se —** to appear
mort *past part. of* **mourir** dead; — *f.* death
mot *m.* word; **— propre** proper word, appropriate word
motif *m.* motive, reason
mouche *f.* fly
mouchoir *m.* handkerchief
mouiller to moisten
mourir to die
moyen average; **—** *m.* means, way; **les —s courts** short cuts

mugissement *m.* roar
mur *m.* wall
mûr mature, ripe
myriade *f.* myriad (*an indefinitely large number*)
myrte *m.* myrtle (*shrub*)

N

naguère not long ago
naïf naïve, simple, unaffected
naître to be born
naïveté *f.* naïveté, innocence
natal native
naturel *m.* naturalness
navire *m.* ship, vessel
navrant heart-rending
ne not; **ne ... aucun** no, not any; **ne ... guère** hardly, scarcely; **ne ... jamais** never; **ne ... ni ... ni** neither ... nor; **ne ... nullement** not at all; **ne ... pas** not, no; **ne ... personne** no one, nobody, not ... anyone; **ne ... plus** no longer, no more, not ... anymore; **ne ... plus que** only; **ne ... que** only, nothing but; **ne ... point** not, not at all; **ne ... rien** nothing
né *past part. of* **naître** born
néanmoins nevertheless
négliger to neglect
neige *f.* snow
neiger to snow; **il neige** it snows, it is snowing
n'est-ce pas? isn't it? isn't it so? didn't you? etc.
neuf nine
neuf, -ve new
neuvième ninth
nez *m.* nose; **— à —** face-to-face
ni neither, nor; **ne ... ni ... ni** neither ... nor
niais silly
Niçois native of Nice (*southern France*)
nid *m.* nest
nier to deny
niveau (*m.*) **de vie** standard of living

noblesse *f.* nobility, nobleness
noir black
nom *m.* name
nombre *m.* number; — **de** a good many
nombreux, -se numerous
nommer to mention, to name, to call; **se** — to be named
nos our
notre our
nôtre ours
nourrir to nourish, to feed
nous we; us, to us
nouveau, nouvel, nouvelle new
noyer *m.* walnut (*kind of wood*)
nu naked; **demi-nu** half naked
nuage *m.* cloud
nuance *f.* nuance, shade
nue *f.* cloud
nuée *f.* cloud
nuire to harm, to spoil
nuit *f.* night
nulle part . . . ne nowhere
nullement: ne . . . — not at all
nymphe *f.* nymph (*a supernatural being*)

O

obéissance *f.* obedience
obéissent (à) obey
obligez-moi do me a favor
observateur, -trice *m. f.* observer
occasion: à l'— occasionally
Occident *m.* West
œil *m.* eye; **à l'— nu** to the naked eye
œillet *m.* carnation
œuvre *f.* work
officier to officiate (*as in a religious service*)
offrir to offer; to present
oiseau *m.* bird
ombrage *m.* shade
ombre *f.* shadow
on one, people, they (*refers to no one in particular*)
oncle *m.* uncle
onduleux, -se undulating, wavy
ont have

or now
orage *m.* storm, thunderstorm
ordinaire ordinary; **pour l'—** usually; **d'—** usually, ordinarily
ordonnance *f.* arrangement
ordonner to order
orée *f.* edge
oreille *f.* ear
organisateur, -trice organizing
orgueil *m.* pride
oser to dare
ou or; **ou . . . ou** either . . . or
où where, when (in, to, at, on), which
oubli *m.* forgetfulness
oublier to forget
ouest *m.* west
outre in addition to, besides; — **mesure** beyond measure
ouvrage *m.* work
ouvrier *m.* worker
ouvrir to open

P

pacifique peaceful, calm
paille *f.* straw
pain *m.* bread
paisible peaceful
paix *f.* peace
palais *m.* palace
palpiter to palpitate; to blink
pan! bang!
pantoufle *f.* bedroom slipper
papier *m.* paper
Pâques Easter
par by, through, on; out of; — **là** that way
paraître to appear, to seem
parbleu! by Jove!
parc *m.* park
parce que because
parchemin *m.* parchment
pareil, -eille similar, such
paresse *f.* laziness
parfois at times
parler to speak, to talk; **se** — to be spoken
parmi among

parole *f.* (*spoken*) word, remark; **homme de —** man of his word

part *f.* part; **d'une —** on the one hand; **de la — de** from, on the part of; **à —** apart, separate; **de toutes —s** on all sides

parterre (*m.*) **de fleurs** flower bed

particulier, -ière private

partie *f.* part; **fait —** is a part

partir to leave; **à — de** beginning from (with)

partisan *m.* partisan, follower, supporter

partout everywhere

paru seemed, appeared

parvenir à to succeed in

pas *m.* step, footstep, pace; **à — comptés** with measured steps

passé *m.* past

passer to pass, to spend (*time*); **se — to** happen, to pass; **se — de** to get along without; **s'en — to** get along without it (them)

patois *m.* patois, dialect

patrie *f.* fatherland, native country

paupière *f.* eyelid

pauvre poor

pavillon *m.* pavilion, summerhouse

payer to pay (for)

pays *m.* country

peau *f.* skin; **— de truie** "sowskin"

pécheur *m.* sinner

peindre to paint

peine *f.* pain, penalty, sorrow, trouble; **à —** hardly, scarcely

peintre *m.* painter

peinture *f.* painting

pendant during; **— que** while

pendre (à) to hang (from)

pénétrant penetrating

pénible painful

pensée *f.* thought

penser (à) to think (of, about); **j'y pense** I think of it

pente *f.* slope, bent, inclination

pépinière *f.* nursery

percher to perch

perdre to lose; to ruin; to waste (time); **— de vue** to lose sight of

père *m.* father

perfectionnement *m.* perfecting

perfidie *f.* perfidy, treachery

permettre to permit; **Veux-tu me permettre?** I beg your pardon!

personne *f.* person; **ne . . . —** no one, nobody

perspicace perspicacious, shrewd

persuader to persuade, to convince

perte *f.* loss

pervers perverse, depraved

peser to weigh

petit small, little

petit-fils *m.* grandson

peu little, few; **— rigoureux** not so severe; **à — près** almost; **— à — little** by little

peuplier *m.* poplar (tree)

peur *f.* fear; **faire —** to frighten

peut can; **il se —** it is possible

peut-être perhaps

peuvent can, may

philosophe *m.* philosopher

phrase *f.* sentence, phrase

physique: au — physically

pièce *f.* piece; article (*of clothes*); theatrical play

pied *m.* foot; **—s nus** barefoot

piège *m.* trap

pierre *f.* stone

piller to pillage, to pilfer, to plunder

pincement *m.* gripping

piquer to pick, to spur

piqûre *f.* sting

pistolet *m.* pistol

piteusement piteously, miserably, woefully

pitié *f.* pity; **par —** out of pity

pitoyable pitiful, pathetic

pivoter to pivot, to turn

place *f.* public square; seat

placer to place; **— un mot** to get a word in edgewise

plage *f.* beach, shore

plaindre to pity; **se — de** to complain about

Vocabulary

Vocabulary 183

plaint *past part. of* plaindre, *and
3rd person sing. pres. indic.*
plaire (à) to please; se — à to
enjoy
plaisanter to joke
plaisir *m.* pleasure
plaît pleases
planche *f.* board, plank
plancher *m.* ceiling
planer to hover
plate-bande *f.* platband, narrow
garden bed
plein full
pleinement fully
pleurer to weep, to cry
pleuvoir to rain
pli *m.* fold
plonger to plunge, to be absorbed
(in)
ployer to bend, to fold
pluie *f.* rain
plume *f.* pen
plupart *f.* most, the majority
plus more; de — besides, moreover, furthermore; ne ... — no
more, no longer, not ... anymore; non — *after negation*
either; de — en — more and
more, increasingly; au — at
most
plusieurs several
plutôt rather
poche *f.* pocket
poésie *f.* poetry
poids *m.* weight
poing *m.* fist; coup de — punch
poignard *m.* dagger
poil *m.* hair
point *m.* point, period; au — de
vue de from the point of view of;
ne ... — not at all; — de no ...
at all, not any ... at all
polaire polar
poli polite, civil; mal — impolite
Polichinelle *m.* Punch, punchinello
politesse *f.* politeness
polonais Polish
pontifier to pontificate (*to play the
pontiff*); to show off

populace *f.* mob
portail *m.* portal, gateway
porte *f.* door, gate
porter to carry, to bring, to bear;
to have
poser to ask (*a question*); to state,
to declare; se — to rest, to settle
posséder to possess, to own
poudre *f.* gunpowder
poule (*f.*) d'eau moor-hen (*a game
bird*)
poupée *f.* doll
pour for, to, in order to; — ainsi
dire so to say; — que so that
pourquoi why
pourr- *stem of fut. and cond. of*
pouvoir
poursuite *f.* pursuit, chase; se jettent à sa — rush to chase it, run
after it
poursuivre to follow, to continue
pourtant however, yet, still
pourvu que provided that
pousser to push, to carry (as far
as); to utter
poussière *f.* dust
pouvant being able
pouvoir to be able, can, may; —
m. power
pratique practical
pré *m.* meadow
précepte *m.* precept (*principle, rule*)
précoce precocious; early
prédire to predict, to foretell
préhistoire *f.* prehistoric times
premier, -ière first
premièrement in the first place
prendre to take; s'en — à to
blame; s'y — to go about it; —
garde à to be careful about
préoccuper: se — to be preoccupied, to be concerned
près (de) near; de — closely; à
peu — almost
présager to presage, to foretell
présent: à — now
présomption *f.* presumption, conceit
presque almost, nearly

prêt   ready
prétention *f.*   pretension, claim
prêter   to lend; se —   to lend oneself; — l'oreille   to listen in-
   tently
préviens   warn
prévoir   to foresee
prier   to pray, to beg
prière *f.*   prayer
prieur *m.*   prior (*eccl. term*)
principe *m.*   principle, cause
printemps *m.*   spring
pris   *past part. and simple past of*
   prendre
prit   took
priver: se — de   to deprive oneself
   of, to get along without
prix *m.*   price
proche   close
proclamer   to assert
producteur, -trice *m. f.*   producer
produire   to produce
produit *m.*   product
proie *f.*   prey, booty
projet *m.*   project, plan
promenade *f.*   walk; en —   strol-
   ling in public
promener: se —   to go for a walk
promeneur, -se *m. f.*   walker, stroller
promettre   to promise
prophétie *f.*   prophecy
propre   *before a noun* own
propret, -ette   neat, tidy
propriétaire *m.*   (land)owner
propriété *f.*   property, quality
prouver   to prove
provençal, provençaux   inhabi-
   tant(s) of Provence
provient   results, derives
pu   been able
publier   to publish
puis = peux   can, may
puis   then, next
puisque   since
puissance *f.*   power
puissant   powerful
puits *m.*   well
punir   to punish
put   was able, could

Q

quand   when; — même   all the
   same, just the same
quant: — à   as for
quarantaine *f.*   about forty; quarantine; faire —   to do quarantine
quart: le —   a quarter
quatorzième   fourteenth
quatre   four
que   that, which, whom, what;
   then, as; ce — what, that
   which; ne . . . — only, nothing
   but; — . . .!   how . . .!
quel, quelle,   what, which
quelconque   whatever
quelque   some, any; —s some, a
   few; en — sorte   somehow
quelquefois   sometimes
quelques-uns   some, a few
quelqu'un   someone
querelle *f.*   quarrel
qu'est-ce que   what, what is
qu'est-ce qui   what
qui   who, which, that, whom; ce —
   — what, that which
quinzaine *f.*   about fifteen; une —
   de jours   a fortnight (*about two
   weeks*)
quinze   fifteen
quitte à   ready to
quitter   to leave; se — to part, to
   separate, to leave one another
quoi   what, which; de — + *inf.*
   enough to, the wherewithal to;
   il n'y a pas de — you are wel-
   come
quoique   although
quotidien, -ienne   daily

R

raccommoder   to correct
raconter   to tell
raison *f.*   reason; avoir — to be
   right
raisonnement *m.*   reasoning; argu-
   ment
ramener   to bring back
rang *m.*   rank, row
rangée *f.*   row

ranger to arrange
rapidité *f.* rapidity, speed
rappeler (se) to recall, to remember
rapport *m.* relation (*connection*)
rapporter to bring back
rapprocher: se — (de) to approach
rassurer to reassure; **se —** to reassure oneself, to feel assured
rauque hoarse
ravissant delightful
ravissement *m.* delight, rapture
réagir to react
rebord *m.* sill
récemment recently
recevoir to receive
rechercher to search for, to seek
récit *m.* tale, narration
reçoit receives
recommencer to begin again
reconcilier: se — to be reconciled
reconnaissance *f.* gratitude
reconnaître to recognize, to know; to admit
reconnut recognized
recopier to recopy
recoudre to sew again
recourir (à) to turn (to), to have recourse (to), to rely (upon)
rectifier to rectify, to correct
reçu received; **être —** to pass an examination
recueillir to take in
reculer to draw back, to move back
rédiger to draft, to draw up
redingote *f.* frock coat, riding coat
redoutable dreadful
réduire to reduce, to compel
refermer: se — to close again
réfléchir to reflect
réfugié, -e *m. f.* refugee
regard *m.* look, glance, gaze, attention
regarder to look, to look at; to concern
régime *m.* regime, system, order of things
règle *f.* rule
régler to regulate
règne *m.* reign

régner to rule, to reign
régulier, -ière regular; regulated
reine *f.* queen
rejoindre to join (again), to rejoin
réjouir: se — to be glad, to rejoice
relâche: sans — continually
relier to connect
relique *f.* relic
relire to read again, to reread
remarquer to notice
remercier to thank
remettre to deliver, to hand (over)
remords *m.* remorse
remplacer to replace
remplir to fill
remuer to stir
renard *m.* fox
rencontre *f.* (*chance*) meeting, encounter; **sortaient à sa —** would go (went) out to meet him
rencontrer to meet
rendez-vous *m.* meeting
rendre to render, to give back; to make; to express; **se —** to go
renflé swollen, bulging
renouveler to renew
renseigner: se — to get information
répandre to spread, to scatter
reparaître to reappear
réparer to make amends, to make up for
répliquer to reply
répondre to answer, to reply
réponse *f.* answer, reply
repos *m.* rest
reposer to put (place) again; to lay down
reprendre to take up again, to resume, to revise
représenter to reform; **se —** to picture oneself, to imagine
reprocher to reproach
reproduire to reproduce
réprouver to condemn
répudier to repudiate, to reject
réseau *m.* network
résoudre to resolve, to solve
respirer to breathe

resplendissant resplendent, bright
ressembler (à) to resemble
resserré cramped, shut in
ressource *f.* resource, means
rester to stay, to remain
restreint limited
résulte: il en — the result of it is
retenir to retain; to catch (*a name*); to hold back, to keep from
retirer: se — to withdraw
retomber to fall again, to drop
retourner to return, to come back; **—'sur ses pas** to retrace one's steps
retrancher to cut off
retrouver to find again, to recognize; **se —** to be found again
réunion *f.* reunion, meeting
réunir · to assemble, to gather
rêve *m.* dream
révèle reveals
revenir to come back, to return
rêver to dream
révérence *m.* curtsy, bow
revers *m.* ruin
rêveur, -se dreamy, musing
revins, revint returned
revis saw again
révocation *f.* repeal
revoir to see again
révolter to shock
rien nothing; **ne . . . —** nothing, not . . . anything; **— que** merely by
rigoureusement strictly
rigoureux, -se severe, rigorous
rire to laugh, to smile; to look pleasant; **se — de** to laugh at, to make light of
risquer: se — to risk, to venture
rit laughs; **en —** laughs at it
rivage *m.* shore
rivaliser to rival, to compete
robe *f.* dress
roc *m.* rock
roche *f.* rock
roi *m.* king
roman *m.* novel
roman Romance (*language*)

ronce *f.* bramble
rond round
rosier *m.* rosebush
rôtir to roast
rouge red
roulement *m.* rumbling
rouler to roll, to turn; **se —** to roll
route *f.* road, way, highway; **— nationale** main highway (*kept up by the national government*); **grande —** main highway
rouvrir to reopen, to open again
ruban *m.* ribbon
rue *f.* street
ruiné faded
ruisseau *m.* brook, stream, gutter
rusé wily, sly, sharp
rustre *m.* churl, rustic fellow

S

sa his, her, its
sable *m.* sand
sabre *m.* sword
sagace sagacious (*of keen penetration and judgment*)
sage *m.* wise man, sage
sagement prudently, wisely
sagesse *f.* wisdom
saignée *f.* bloodletting
saint holy
saint-ciboire *m.* ciborium or pyx (*vessel for consecrated wafers*)
sais know
saison *f.* season
sait knows
sale dirty
salle *f.* room, hall; **— à manger** dining room
salon *m.* drawing room, parlor
saluer to bow, to greet
salut *m.* bow
salutaire salutary, healthy
sang *m.* blood; **princes du —** princes of royal blood
sanglant bloody
sanglot *m.* sob
sangloter to sob

sans without; — cesse constantly, unceasingly; — doute undoubtedly, surely; — que without

santé *f.* health

sarcler to weed

satisfaire: se — to satisfy oneself, to please oneself

sauter to jump, to leap

sautiller to hop

sauvage wild; rough; in its natural state

sauver to save

savamment cleverly, skillfully

savane *f.* savanna, prairie

savant *m.* scholar

savoir to know

scène *f.* scene; stage

se himself, herself, itself, oneself, themselves; to himself, to herself, etc.

sécher to dry

secondaire secondary

secouer to shake

secours *m.* help, relief

secousse *f.* jolt, shock

seigneur *m.* lord

sein *m.* bosom

seize sixteen

sel *m.* salt

selon according to

semaine *f.* week

semblable similar to, like

sembler to seem, to appear

sens *m.* sense, meaning

sentier *m.* path

sentiment *m.* sentiment, feeling

sentir (se) to feel; to smell

séparé separated

sept seven

septentrional north, northern

ser- *stem of fut. and cond. of* être

série *f.* series, stage

sérieux: le — *m.* the serious aspect

sert serves; — de serves as

serviable obliging

service *m.* service; favor

servir to serve; — de to serve as; pour vous — at your service

ses his, her, its

seuil *m.* threshold; dès le — from the very beginning

seul only, single, alone

seulement only, merely

si if, so

siècle *m.* century

sien, sienne his, hers, its

siffler to hiss; to whistle

signe *m.* sign

signer to sign up

significatif significant

silex éclatés flint tools

sillon *m.* furrow; —s de légumes vegetable fields

simagrée *f.* grimace, affectation

simplement simply

singulier, -ière singular, remarkable; odd, strange

situé situated, located

slave Slavic

sœur *f.* sister

soi oneself; soi-même oneself

soif *f.* thirst

soin *m.* care

soir *m.* evening; tous les —s every evening

soirée *f.* evening

sois *imperative and present subj. of* être

soit *third sing., present subj. of* être is; — . . . — either . . . or

soixante sixty

sol *m.* soil

solaire solar

soldat *m.* soldier

soleil *m.* sun; au — in the sun

solive *f.* joist, beam

sollicitude *f.* solicitude, tender care

somme *f.* sum; en — in short

sommes are

son *m.* sound

son his, her, its

songe *m.* dream; *Mes Songes que voici My Ramblings*

songer (à) to think (of)

sonore sonorous (*giving sound*)

sont are

sort *m.* fate, destiny

sortir to go out, to leave; to issue

sot *m.* fool
sottise *f.* foolishness, foolery
souci *m.* care, worry
soucier: se — de to care about, to be concerned about
soudain sudden, suddenly
souffler to puff; to blow
souffrir to suffer; to stand (*tolerate*)
souhaiter to wish (for)
soulier *m.* (*low*) shoe; —s à boucles d'argent shoes with silver buckles
soumettre to submit; se — to submit, to give in, to yield
soumis subjected to
soumission *f.* submission
soupçon *m.* suspicion
soupente *f.* garret
souper *m.* supper
soupir *m.* sigh
souplesse *f.* suppleness, flexibility
sourd deaf; hollow
sourire to smile; — *m.* smile
sous under
soutient keeps up (*a conversation*)
souvenir: se — de to remember; — *m.* memory
souvent often
spectacle: en — on display, on show
structure *f.* structure; organization
subir to undergo, to submit to
subit sudden
subitement suddenly
sucre *m.* sugar
sud *m.* south
sueur *f.* perspiration
suffir to suffice, to be sufficient
suffisance *f.* self-sufficiency, conceit
suffrage *m.* suffrage, approval, approbation
suggérer to suggest
suis am
suite: tout de — right away, at once
suivant according to, following
suivre to follow

sujet subject; — à liable to
superficie *f.* surface, superficies
sur on, upon
sûr sure
surcroît: par — in addition, to boot
sûreté *f.* security
surgir to spring up, to arise
surnaturel supernatural
surprendre to surprise, to detect
surpris surprised
surtout especially, above all
survinrent came about, occurred

T

tabac d'Espagne brownish color
tableau *m.* tableau, picture, painting
tâche *f.* task
taille *f.* stature, size
tailler to cut, to prune, to trim
tandis que while, whereas
tant so much, so many; — bien que mal as well as (I) could; — mieux so much the better; — que as long as
tantôt . . . tantôt now . . . now
tard late
tas *m.* heap, pile, a lot
tasse *f.* cup
tchèque Czech
te you, to you, yourself
tel such; — que such as
témoignage *m.* testimony, testimonial; au — de according to
témoin *m.* witness; second (in a duel)
temps *m.* time, weather; de tout — at all times; à quelque — de là sometime later; passer mal son — to have a bad time of it
tenancier *m.* tenant
tendance *f.* tendency
tendre tender, affectionate
tendre to hold out; to tend
tendresse *f.* tenderness, affection
ténèbres *f. pl.* darkness
tenir to hold; tenez-vous-en . . . à stick to, hold dear; — à to in-

sist upon, to be anxious to; **se —** to be held; to be, to stand, to remain; **être tenu** to be obliged to; **tenez!** here! well now!; **se — sur ses jambes** to stand up
tenter to tempt
terme *m.* term; (*house*) rent
terminer: se — to end
terre *f.* earth, land; **par (à) —** on the ground, on the floor
tête *f.* head
têtu headstrong, obstinate, stubborn
thé *m.* tea
tiens! well! see here!
tient holds, contains, has
tinter to ring
tirer to draw, to get out; to tap (*liquors*)
tissu *m.* tissue (*a long series of*)
titré titled
toilette *f.* dress
toit *m.* roof
tomber to fall
tome *m.* volume
ton *m.* tune
tonneau *m.* tun, cask
tort *m.* wrong, fault; **avoir —** to be wrong
tortiller to twist
tôt soon
toucher to touch, to concern
touffu bushy, thick
toujours always, still
tour *m.* turn; feat (*of eloquence*); **faire le —** to go around
tourbillon *m.* whirlwind
tourner to turn, to revolve
tournure *f.* turn (*of language*)
tousser to cough
tout (*m. pl.* **tous**) all, any, every, entire, everything, everyone; entirely, completely, very; **— à coup** suddenly; **— de suite** at once; **pas du —** not at all; **— à fait** quite, entirely, completely; **— en** (+*pres. part.*) while; **tous** (**les**) **deux** both
toutefois however

toute-puissance *f.* omnipotence, almighty power
toxique *m.* toxic
tracer to trace, to delimit
traduire to translate
traduisez translate
train *m.* train; **être en — de** to be in the act of
traînée *f.* trail, trace, streak
trait *m.* trait; stroke (*painting term*); feature; **des —s forts** bold strokes
traité *m.* treatise
traiter to treat; **— de** to deal with
tranche *f.* slice
trancher to cut
transcendant transcendent (*going beyond human knowledge*)
transi chilled
transport *m.* transport; ecstasy, rapture
trapu heavy-set, stocky
travail *m.* work, labor; **— intérieur** inner effort, struggle
travailler to work
travaux *pl. of* **travail**
travers *m.* fault, defect; **à —** through
traverser to cross, to go through
traversin *m.* pillow
trébucher to stumble
trémousser: se — to flutter, to dance
trente thirty
trépidation *f.* trepidation, vibration
très very
tressaillir to shudder
triste sad
tristesse *f.* sadness; shame
trois three
tromper to deceive; **se —** to be mistaken
trop too, too much
trottinette *f.* scooter
trouble *m.* emotion, uneasiness
troupeau *m.* flock, herd
trouver to find; **se —** to be, to happen to be
tu you

tuer to kill
turc Turkish

U

un, une a, an, one; **les unes des autres** from each other; **les uns aux autres** to (with) each other
unir to unite
usage *m.* use
user de to use
utile useful
utiliser to utilize, to use

V

va goes, is going; **comment —?** how is?
vacances *f. pl.* vacation
vache *f.* cow
vainqueur *m.* conqueror
vais go, am going
valet *m.* valet, servant
valeur *f.* value
vallée *f.* valley
valoir to be worth; **— mieux** to be better
vanter: se — to boast
variante *f.* variant
vaudra will be worth
vaut is worth; **— mieux** is better
veau *m.* calf; calfskin
veiller to stay up
velouté velvety
vénérable venerable, revered
venger: se — to avenge oneself
venir to come; **— de** (+*inf.*) to have just
vent *m.* wind
vérité *f.* truth
verr- *stem of fut. and cond. of* **voir**
vers about, toward; **—** *m.* verse
vert green
vertigineux, -se vertiginous, whirling (*of speed*)
vestibule *m.* hall, vestibule
vêtement *m.* clothing; **—s tout faits** ready-made garments
vêtir to dress
veule sluggish; weak
veulent wish, want

veut wishes, wants
veuve *f.* widow
veux wish, want
vide empty; **—** *m.* emptiness, empty space
vie *f.* life; **de sa —** in his life
vieil, vieille old; **vieille** *f.* old woman
vieillard *m.* old man; **les —s** old people
vieillir to grow old
viens come, am coming
vieux old; **mon —** old chap
vif, vive lively, vivid, keen; strong; **vives images** striking expressions
vilain ugly
ville *f.* city
villégiature: en — in the country
vingt-cinq twenty-five
vins, vint came
violer to violate
vis, vit *past of* **voir**; *pres. of* **vivre**
visage *m.* face
visiteur, -se caller, visitor
vite quickly
vitre *f.* glass, pane
vivant living, alive
vivre to live
vocable *m.* vocable, word, term
vœu *m.* prayer, wish
voguer to sail
voici here is (are)
voie *f.* way, road; course
voilà there is, there are; **Les — partis** They're off, They are on their way; **seulement —** only this is how it is; **— que** suddenly
voile *f.* sail
voiler to veil, to hide
voir to see
voisin neighboring, adjacent
voit sees
voiture *f.* vehicle, carriage, car
voix *f.* voice
voler to fly
volonté *f.* will, will power, mind
volontiers gladly
voltiger to flutter, to float
volupté *f.* delight, pleasure

vont go
vos your
votre your
voudr- *stem of fut. and cond. of* vouloir
vouloir to wish, to want; to expect; — dire to mean; — bien to be willing, to be kind enough to; en — à to have a grudge against
vous you, to you
voyant seeing
voyez, voyons *present and imperative of* voir
vrai true; — *m.* truth
vraiment really, truly
vu *past part. of* voir

vue *f.* view
vulgaire *m.* common people

Y

y there, to it, at it, in it, on it, of it; il y a there is, there are, ago (*with expressions of time*); il y en a there is (some), there are (some); y a-t-il? is there? are there?
yeux *m. pl.* eyes

Z

zèle *m.* zeal
zodiaque *m.* zodiac (see illustration, p. 38)

Index of Names

195